50
COSAS
SENCILLAS
QUE TÚ PUEDES
HACER PARA
SALVAR LA
TIERRA

50 COSAS SENCILLAS QUE TÚ PUEDES HACER PARA SALVAR LA TIERRA

John Javna,
Sophie Javna y Jesse Javna

integral

Título original: *50 Simple Things You Can Do To Save The Earth*
Diseño de cubierta: Estitxu

La editorial agradece la colaboración de
Eco-Unión en la revisión del libro.

eco-union^{org}

Pérez Galdós, 36 - 08012 Barcelona
www.rbalibros.com / rba-libros@rba.es

Primera edición: abril 2009

Ref.: OALR195
ISBN-13: 978-84-9867-494-1
Fotocomposición: Víctor Igual, S.L.
Depósito legal: B-17656-2009
Impreso por Liberdúplex

AGRADECIMIENTOS

Queremos expresar nuestro más sincero agradecimiento a las organizaciones ecologistas que han sido nuestros socios en este libro y, concretamente, a las personas de dichas organizaciones que trabajaron en estrecha relación con nosotros para hacer posible un proyecto de semejante envergadura. Nos encantaría citaros a todos pero no tenemos espacio para ciento veinte nombres, así que simplemente queremos que sepáis lo mucho que os apreciamos a todos y el trabajo que realizasteis. ¡Gracias!

Y *chapeau* también al resto del equipo:

Sharon Javna
Julie Bennett
Judy Plapinger
Will Balliett
Ken Wells
Cathy Hemming
Angela Kern
Claudia Bauer
Samantha Moss
Bob Kuenzel
Adam Siegel
Peter Miller
Susan Fassberg
Lorna Garano
Altemus Design
Joshua Redel
Kevin Davidsohn
Abe Genack
Donald R. Morrison
Brian Ayliss
Clare Butterfield
Wendy Millstine
Ben Clausen

Terry Griffin
Melissa Kirk
Eli Brown
Pat McFarland
Emily Bennett Beck
Joel Makower
Catharine Sutker
Jennifer Massey
Clint Willis
Original Design Solutions
Jennifer Strange
Brian Boone
Lou Brunette
Rachael Durfee
Julia Papps
Rhys Rounds
Alexis Soulios
Eric Stahlman
Brian Freeman
Thom Little
The Rogue Valley Roasting Company
el perro Manny

ÍNDICE

UNA HISTORIA SENCILLA: JOHN

S i leíste y te gustó el libro original, *50 cosas sencillas que TÚ puedes hacer para salvar la Tierra*, publicado en los años noventa, te vas a llevar una sorpresa. Ésta no es una edición revisada del original, sino un manual completamente nuevo.

¿Por qué lo cambiamos? Al fin y al cabo, fue uno de libros ecologistas más vendidos de todos los tiempos; se vendieron más de 5 millones de ejemplares en veintitrés idiomas.

Pues, sinceramente, porque el planteamiento del libro no funcionaba.

Ante todo debo decir que estoy muy orgulloso del primer *50 cosas sencillas* y siempre me ha emocionado que inspirase a tanta gente. Sin embargo, también me he sentido frustrado por sus limitaciones. Y es que las «cosas sencillas», como instalar duchas de bajo consumo o poner la compra en bolsas de tela pueden ser una pequeña parte de la solución a nuestros problemas medioambientales, pero no constituyen LA solución. Los consejos de ahorro por sí solos nunca tendrán un impacto significativo en el objetivo de «salvar la Tierra». Son pequeños pasitos, y si no llevan a algo mayor, estamos perdidos.

Ahora, con la perspectiva de los años, veo que *50 cosas sencillas* no educó a la gente sobre la naturaleza y la gravedad de los problemas medioambientales. Muchos creyeron que, si llevaban una bolsa de tela al supermercado en lugar de pedir una de plástico, estaban resolviendo el problema de la contaminación causada por este material. O que si cortaban las anillas de los paquetes de seis latas, estaban salvando la fauna marina. El libro creaba una sensación autocomplaciente basada en la falsa creencia de que estos problemas se estaban resolviendo... cuando no era así.

En cuanto me di cuenta de esto, en 1995, decidí retirar el libro en lugar de actualizarlo. Hace doce años que está descatalogado pero su influencia pervive. Durante más de una década se ha seguido dando a la gente consejos ecologistas en gran parte reciclados de *50 cosas sencillas*: cómo consumir menos papel, cómo ahorrar energía en el hogar, cómo viajar de forma concienciada, etc.

Tal como he dicho, estas sugerencias tienen un valor real (de hecho, encontrarás muchas también en esta edición) y las personas que las han puesto en práctica merecen admiración por su esfuerzo. Pero seamos realistas; al cabo de diecisiete años, ¿adónde nos han llevado los consejos ecologistas? No han logrado eliminar el mercurio del aire, ni nos han devuelto los hábitats perdidos de ciertas aves. No han impedido que los residuos industriales contaminen nuestras aguas o que las empresas de carbón dinamiten las cimas de nuestras montañas.

Lo peor es que nos hemos concentrado en cambiar unos cuantos hábitos personales cuando el mundo cada vez manifiesta más síntomas de colapso. Lo más probable es que tú te hayas sentido superado por estos cambios. Yo también me siento así y este libro es un intento de hacer algo para remediarlo.

ASÍ EMPEZÓ TODO

Muchos temen implicarse en la protección del medio ambiente porque no se consideran expertos en ecología. O porque les faltan datos para comprometerse. Pero yo sé por experiencia que no es necesario ser un entendido. Cuando escribí la primera versión de *50 cosas sencillas que TÚ puedes hacer para salvar la Tierra* no lo hice desde la perspectiva del ecologista «profesional». Todo lo contrario. Apenas sabía nada sobre el medio ambiente, excepto lo que leía en los periódicos. En invierno de 1989 lo único que tenía claro es que el mundo se iba a pique: cada día se sucedían los titulares sobre la lluvia ácida, el agujero de la capa de ozono, el calentamiento global y otros desastres ecológicos. El panorama era catastrófico.

Entonces me obsesioné con la idea de qué podía hacer YO para ayudar. Esto era antes de internet, cuando no había acceso fácil a los conocimientos compartidos, así que busqué un libro que pudiera servirme de guía. Pero no lo encontré. Lo único que hallé fueron listas sueltas, elaboradas por asociaciones diversas y con sugerencias del tipo: «Baila más. La danza contribuye a la felicidad del planeta». Una idea estupenda, pero yo buscaba consejos un poquito más prácticos.

En aquella época yo rondaba la cuarentena y quería hacer algo de provecho. Así que decidí escribir el libro que había estado buscando: una guía de las cosas que uno podía hacer para salvar el planeta. Yo llevaba publicando libros desde hacía diez años, pero ninguno podía calificarse como serio. Mis libros más vendidos eran *Canta las sintonías de la tele* y *Antología de lecturas para el baño*. Te puedes imaginar la gracia que les hizo la idea del libro a mis editores. La respuesta más entusiasta que obtuve fue: «¡Ja!».

Así que hice lo que hacen muchos autores persistentes: pedí dinero prestado y lo publiqué yo mismo. Iba a titularlo *100 cosas sencillas que tú puedes hacer para salvar la Tierra*, pero me acoquiné. ¿Y si no había cien cosas? Así que lo reduje a cincuenta.

LA VIDA TE DA SORPRESAS

El libro se publicó sin apenas promoción en otoño de 1989, y yo no estaba preparado para lo que ocurrió entonces. La gente, por lo visto hambrienta de un texto concreto y optimista sobre los problemas medioambientales, empezó a comprarlo por todo el país. No se sabe cómo, se vendieron millones de copias y al cabo de unos meses había aparecido en todos los medios de comunicación importantes, incluida la lista de los libros más vendidos del *New York Times,* donde entró con el número 1.

Fue una época muy emocionante para mí, especialmente porque la «ola verde» que arrasó Estados Unidos en la primavera de 1990 me convenció de que íbamos a cambiar el mundo. Llegué a creer que el vigésimo aniversario del Día Mundial de la Tierra (Earth Day) —en que participaron millones de personas— y el éxito de *50 cosas sencillas* formaban parte de una revolución profunda. Como habíamos descubierto la importancia de proteger el planeta, todos saldríamos a comprar productos reciclados y difusores para los grifos, y transformaríamos la economía en una maquinaria ecológica. Pero no lo hicimos. Gradualmente, durante los años siguientes, el entusiasmo del público se fue apagando, en parte por culpa de astutas campañas antiecológicas organizadas por las empresas petrolíferas, químicas y plásticas; éstas confundieron lo bastante a la gente como para ralentizar el impulso del movimiento.

Cuando en 1994 salió un libro titulado *Las cosas sencillas no salvarán la Tierra* yo estaba dispuesto a darle la razón. Ahora me avergüenza decirlo, pero me había vuelto bastante cínico. Padecía de «fatiga verde»: un empacho de ecoconsejos. Sin embargo, mi cinismo no provenía de la indiferencia, sino de la sensación de que, siguiera los consejos que siguiera, los problemas continuarían siendo tan enormes que yo nunca los reduciría lo más mínimo. ¿Qué importaba si yo reciclaba papel, si se seguían talando bosques centenarios? ¿Qué importaba si celebraba el «día sin coches» cuando un 80 % de los automóviles en carretera sólo llevaban una persona dentro? Había mercurio en el aire y cada día se vertían toneladas de residuos en el océano. Cada vez que miraba en la basura y veía montones de latas de aluminio me entraban ganas de tirar la toalla. Y entonces, como muchos americanos desilusionados, me rendí. Me mudé al campo, a Oregon, y me dediqué a mi familia.

DOCE AÑOS MÁS TARDE

En 2006, mi hija de trece años, Sophie empezó a concienciarse sobre el medio ambiente. Comenzó a preguntarnos por qué ya no fabricábamos nuestro propio abono y por qué no llevábamos bolsas de tela al supermercado. Un día empecé a contestarle que no importaba, que todo el reciclaje del mundo no detendría el calentamiento del planeta. Pero me quedé a media frase. Fue rarísimo; me vi a mí mismo mirando, literalmente, a los ojos de la nueva generación, la persona para quien había escrito mi libro antes de que ella naciera. Me di cuenta de que no podía permitirme ser cínico, que tenía que seguir intentando mejorar el mundo porque amo a mi hija y a mi hijo, y porque amo este planeta.

Esa epifanía fue la génesis del libro que estás leyendo. Es el esfuerzo de un padre por reclamar la Tierra para sus hijos, y los tuyos.

INVENTAR UN NUEVO LIBRO

Impulsado por mi nuevo entusiasmo, decidí que lo más efectivo que podía hacer como activista era recuperar *50 cosas*. Pero la única parte que quería conservar del libro original era su simplicidad, su uso práctico. El resto tenía que reinventarse. Los coautores de este libro y yo lo reescribimos con estos cuatro principios en mente:

1. Las acciones de este libro deben enmarcarse en temas, no presentarse como acciones sueltas y desconectadas. Existen unos problemas concretos que resolver y tenemos que saber cuáles son nuestros objetivos y cómo conseguirlos.
2. Los esfuerzos individuales que realmente tienen un efecto sobre el planeta son aquellos que son comprometidos, coherentes. Los actos ecológicos aislados están bien, pero no van a cambiar las cosas radicalmente. Esto significa encontrar formas de implicarnos a largo plazo de forma cómoda, sin convertirnos en esclavos del ecologismo.
3. Las acciones individuales necesitan combinarse con acciones comunitarias. Las personas tenemos más fuerza y efectividad cuando nos unimos con nuestros vecinos, especialmente en asuntos importantes. Y éste es el asunto más importante al que nos enfrentaremos nunca.

Y por último:

4. Necesitamos concentrar los esfuerzos de nuestros lectores. Los problemas medioambientales son tan apabullantes y hay tanto que hacer, que cuesta saber por dónde empezar. Nuestro trabajo es ofrecer un punto de partida.

La cuestión era: ¿podía un libro de «consejos» como *50 cosas sencillas* realmente conseguir esto? Los coautores de este libro y yo pensamos mucho sobre ello y finalmente se nos ocurrió algo que nadie había intentado antes: convertir el libro en una asociación interactiva formada por lectores individuales, organizaciones medioambientales y nosotros. El nuevo *50 cosas* no es sólo un libro, sino una puerta a una comunidad de especialistas y activistas de base que pueden ayudarte a conseguir mucho más de lo que podrías conseguir por tu cuenta. Para ello, hemos creado una nueva comunidad en internet. Nuestra página, <50simplethings.com> (en inglés), está diseñada para ser una fuente continua de información sobre lo que puedes hacer; una oportunidad de aprender, hacer preguntas y compartir lo que has aprendido. Hemos hecho todo lo que hemos podido para que el libro cumpla sus objetivos. Ahora te toca a ti.

LA CONEXIÓN

Un día, mientras preparábamos el libro, Sophie preguntó si los temas que incluíamos eran lo bastante importantes. «Sé que si tuviera que escoger una cosa para dedicarme a ella —dijo—, escogería la más grande, la más importante.» Yo lo pensé un minuto y le dije algo que querría compartir contigo: «Las "cosas importantes" que tenemos que tratar, como el calentamiento global o la pérdida de hábitats naturales, no son "cosas". Son efectos; el resultado de muchas pequeñas acciones destructivas. La única manera de solucionarlas es intentar deshacerlas una a una, del mismo modo en que las creamos».

La verdad es que no importa demasiado qué asuntos escojamos, grandes o pequeños, para dedicarles nuestro tiempo, porque todos están conectados entre sí. Si, por ejemplo, reducimos las emisiones de gas invernadero de las centrales eléctricas, también ayudamos a tener aguas más limpias; si contribuimos a limpiar las aguas, mejoramos los hábitats naturales; para mejorar éstos, necesitamos crear zonas protegidas; si creamos zonas protegidas, protegemos los árboles. Cuantos más árboles, más limpiamos el aire. Y cuanto mejor es el aire, menor es el cambio climático. Es el círculo de la vida, que nos contiene a todos. Simplemente escoge un sitio y lánzate.

LA VOZ DE SOPHIE

Sophie Javna tiene catorce años y es estudiante de secundaria.

Una de las partes más fascinantes de la infancia es soñar con el futuro. Todos lo hacemos: ¿qué voy a ser de mayor? ¿Seré rica y famosa? ¿Me casaré y tendré hijos? Ahora que soy un poco mayor es especialmente divertido, porque empiezo a entender todas las posibilidades que se despliegan ante mí. Comienzo a tener una idea real de lo que puede ser mi vida de adulta. Quién sabe, quizás se cumplirá mi sueño de ser cantante, conseguir un contrato con una discográfica y tener un grupo. Pase lo que pase, sé que será emocionante.

Mi futuro ideal suena fantástico... hasta que vuelvo a la Tierra y empiezo a pensar seriamente en cómo será el mundo dentro de diez o veinte años. ¿Habrá un montón de contaminación y partes del océano totalmente muertas? ¿Habrán desaparecido los osos polares, los elefantes, los gorilas, los guepardos... y nuestra maravillosa selva amazónica? No lo sé... Tal vez el futuro no es tan de color de rosa como soñaba.

Para mí, estos problemas del medio ambiente son lo bastante importantes para que la gente se una y se pregunte: «¿Cómo podemos solucionarlo?». Y si estás leyendo este libro, seguramente piensas lo mismo. Pero una cantidad enorme de personas todavía no tienen ni idea de lo importante que es, o incluso peor, lo saben pero siguen con sus vidas fingiendo que no lo saben. Luego leo cosas sobre políticos que no parecen comprender lo urgente que es hacer algo sobre el calentamiento global, sobre el agua limpia o sobre la calidad de nuestros alimentos. Me duele ver todas estas cosas, porque se comportan como si pensaran: «No me importa. No me importa el mundo y ni cómo sea tu vida (ni la vida de cualquier niño) cuando yo ya no viva».

Los niños tienen la habilidad, e incluso el deseo, de creer que todo es posible. Con catorce años, yo sigo siendo lo bastante joven para pensar lo mismo. Creo sinceramente que podemos cambiar el futuro para mejor y también sé que, si realmente lo intentamos, podemos unirnos y solucionar este problema.

No tengo ninguna duda de que todas las personas son capaces de participar para salvar nuestro planeta, si se les empuja un poco en la dirección correcta. Por eso, aunque las cosas no vayan como quisiéramos, no voy a empezar a pensar de forma negativa. Este libro no trata de eso; trata de ser positivo, de decir que podemos unirnos y trabajar juntos para lograr el mis-

mo objetivo, y de que, como todo es posible, podemos enfrentarnos a esta situación.

Al trabajar para salvar el medio ambiente estamos protegiendo las esperanzas de mi generación. Y por ello, quisiera darte las gracias por adelantado.

Sophie Javna, enero de 2008

UNA CUESTIÓN
DE SEGURIDAD

Jesse Javna tiene diecisiete años. Es estudiante de bachillerato.

Cada generación tiene su propia visión del futuro. Mis padres se criaron viendo programas de televisión sobre gente que vivía en el espacio y usaba coches voladores, walkie-talkies y robots domésticos. Muchos de los que crecieron con *La guerra de las galaxias* creyeron que el Bien inevitablemente triunfaría sobre el Mal. En ambos casos, el futuro lejano siempre parecía una época de seguridad y optimismo.

Ahora que casi soy mayor de edad oficialmente, he empezado a pensar en mi propia generación y en nuestro papel en el mundo. ¿Cuál es nuestra visión del futuro? ¿Acaso tenemos alguna?

Tengo que confesar que en los últimos años nuestro futuro ha empezado a ser bastante negro; no porque las personas de mi generación no tengan ganas de vivir, sino porque los problemas a que nos enfrentamos son abrumadores. Formo parte de la generación del 11-S; somos los primeros jóvenes estadounidenses desde Pearl Harbor que han sentido que quizás Estados Unidos no es tan fuerte ni seguro como imaginábamos.

También formamos parte de la generación del calentamiento global. Ninguna otra generación anterior a nosotros ha tenido —desde sus primeros momentos de conciencia social— que enfrentarse seriamente a la posibilidad de que el mundo no exista en su estado actual, debido al impacto humano sobre el medio ambiente.

A veces parece que los problemas medioambientales son imposibles de superar. Nos da la impresión que somos impotentes e incapaces de reparar el daño que ya se ha hecho, y que ni siquiera se están tomando pequeñas medidas para evitar un mayor daño a nuestro planeta.

No es extraño que, ahora que ponemos un pie en el mundo de los adultos, la gente de mi generación mire el futuro con temor. Pero, ¿de qué nos sirve eso? Si tenemos miedo del futuro, si decidimos «pasar» de los desafíos a que nos enfrentamos, los problemas sólo pueden agravarse. No podemos tener miedo de tomar las riendas del mundo; tenemos que liderar con optimismo. La mejor forma de hacerlo es actuar YA. A largo plazo, nuestra única seguridad —nacional, global y personal— es saber que estamos haciendo todo lo posible por mejorar las cosas.

Quizás tú no sepas por dónde empezar, y no eres el único. Mucha gente no sabe por dónde empezar cuando se trata de efectuar un cambio positivo.

Pero ése es exactamente el propósito de este libro: dar a la gente como tú y yo, que quieren hacer algo para proteger nuestro mundo, una forma de encontrar algo que les motive y que les haga involucrarse.

No hace falta esperar a que las viejas generaciones den el primer paso. Ahora nos toca a nosotros tomar las riendas y asegurar nuestro futuro. La Tierra es nuestro único hogar y, juntos, tenemos los medios para salvarla.

JESSE JAVNA, febrero de 2008

CÓMO USAR
ESTE LIBRO

Unas cuantas cosas que debes saber antes de empezar.

HISTORIA. Actualmente existen muchos manuales de ecología en el mercado. Pero éste es diferente. No es una lista de cosas que hacer en tu casa o en tu lugar de trabajo, y no pretendemos que hagas lo máximo posible. El libro presenta 50 aspectos distintos del medio ambiente... y te animamos a que escojas sólo uno.

Sí, sólo uno.

Por supuesto puedes hacer más. Pero seamos realistas; una de las razones principales por las que la mayoría de la gente no se implica en los graves problemas que tenemos —y nada es más importante que proteger nuestro hábitat natural— es que los problemas parecen demasiado grandes. Pensamos: «¿Por dónde empiezo?», «¿Puedo realmente contribuir?», «Hay demasiado que hacer». Y finalmente: «¿Por qué molestarme?».

Eso es lo que tenemos que superar.

Hace años ayudé a popularizar el concepto de que las cosas que puede hacer una sola persona por su cuenta pueden tener un auténtico impacto en el medio ambiente. Ahora queremos añadir un nuevo nivel a esa idea: escoger un tema y comprometerse a hacer un esfuerzo continuo en ese campo. Ésa es la forma más satisfactoria y eficaz de ayudar al planeta; quizás la única forma.

¿Cuán comprometido tienes que estar? Eso depende de ti. Experimenta; busca el grado de compromiso que se adecúe a tu vida, cumple con él y siéntete satisfecho. No hagas que nada te haga sentir culpable por «no hacer bastante».

El activismo ecologista no es una tarea que hay que evitar, sino una forma de confirmar nuestro amor por nuestra familia, nuestra comunidad, la Tierra y la vida misma. Este libro se ha diseñado para facilitarte el proceso de encontrar algo que te guste hacer y motivarte para que sigas haciéndolo.

SOBRE LAS 50 COSAS

- Hemos incluido una gran variedad de temas y actividades, desde trabajar en plena naturaleza hasta colaborar con el ayuntamiento; desde reunirte con las autoridades para hablar de legislación hasta charlar con tus vecinos para proponer plantar árboles. Hay algo para los amantes de la política, así como algo para los amantes de la naturaleza. Y hay que tener en cuenta que estos 50 asuntos no son los únicos que importan; se podrían haber escogido muchísimos más.

- ¿Cómo los escogimos? De hecho, no lo hicimos nosotros. Nos pusimos en contacto con 50 de las organizaciones ecologistas más respetadas en EE. UU. y les pedimos que escogieran un tema que quisieran compartir con nuestros lectores. Para algunas resultó fácil puesto que trabajan principalmente en un área. Para otras, como el Natural Resources Defense Council o el Sierra Club, fue más difícil porque trabajan en muchos temas distintos. Sin embargo, todas aceptaron el desafío y este libro es el resultado de ello.
- Los 50 temas están numerados, pero no siguen un orden especial. No son un «Top 50», ni ninguno es más importante que otro.

SOBRE NUESTROS SOCIOS

- Las organizaciones con las que elegimos trabajar no son necesariamente las más importantes o antiguas, ni las más influyentes. Se trata de una muestra diversa del movimiento ecologista estadounidense; algunas están muy bien establecidas como la National Audubon Society, otras son menos conocidas como Seacology y Eco-Cycle, y otras son totalmente nuevas como 1Sky. Grandes o pequeñas, se encuentran entre las organizaciones más respetadas en su ámbito.
- En cada tema trabajamos estrechamente con expertos de la organización que lo eligió para elaborar conjuntamente la presentación del tema y el plan de acción.
- Aunque nosotros seleccionamos estas 50 organizaciones, hay muchas más que podrían haberse incluido. Encontrarás enlaces a sus páginas web en: <50simplethings.com>.

SOBRE LAS PÁGINAS

La mayor parte del libro se explica por sí solo pero merece la pena mencionar un par de cosas:

- «Empieza con algo sencillo» es una forma de asomar la nariz, de familiarizarse con el tema y probar si te interesa. Se trata de construir un puente entre la idea «Vaya, parece interesante» y hacer algo concreto al respecto.
- «Paso a paso» es un resumen de algunas de las cosas que puedes hacer. Las primeras acciones suelen ser las tareas más fáciles y luego van subiendo en dificultad.
- No hay tiempo límite para dar los pasos. Puede llevarte un año dar el Paso 1 y otro año dar el Paso 2. No importa. Lo que importa es que per-

sistas, no que los hagas a toda velocidad. El compromiso consiste en encontrar maneras de incorporar el tema a tu vida.

• Como verás, casi todos los planes de acción acaban con una página web. El motivo es que este libro es sólo el principio; hay mucho que aprender y mucho que hacer en las páginas de nuestros socios y en la nuestra. Hemos añadido internet al libro como recurso fundamental.

SOBRE INTERNET

• Hemos creado un sitio en la red para acompañar al libro: <50simplethings.com>. En la esquina de la página derecha de cada capítulo hay una dirección, como <50simplethings.com/streams>. Cada dirección te llevará a una página relacionada específicamente con ese capítulo: enlaces, guías descargables, foros, blogs, artículos de fondo, etc.

• En nuestra página web puedes encontrar una versión en PDF del original *50 cosas sencillas que TÚ puedes hacer para salvar la Tierra*. También puedes hallar un blog, *links* e información general sobre iniciativas ecologistas.

• Hemos hecho todo lo posible por listar direcciones y enlaces correctamente. Si encuentras uno que no funcione, por favor notifícanoslo inmediatamente y publicaremos la corrección en nuestro sitio. Hemos listado las páginas web sin las tradicionales «www», ya que no suelen ser necesarias, pero si una página no funciona intenta añadirlas.

UNA ÚLTIMA COSA

Nuestro consejo más importante: no leas este libro de cabo a rabo. Hojéalo, descubre los temas uno por uno, visita las páginas web de referencia y explora lo que más te interese en profundidad. Si te lo tomas con calma, descubrirás lo que estás buscando. Buena suerte... ¡y diviértete!

NOTA DEL EDITOR DE LA VERSIÓN ESPAÑOLA

Con la ayuda de Eco-Unión, hemos querido añadir información útil para los lectores españoles, que podrán inspirarse en muchos casos en la experiencia de los autores en Estados Unidos, pero que encontrarán igualmente en estas páginas muchas referencias directas a la realidad de nuestro país así como muchas direcciones de las principales organizaciones que actúan en él.

50
COSAS

SENCILLAS

1. ¡QUE VUELVA EL COCHE ELÉCTRICO!

Coste aproximado de recorrer 65 km: con un coche totalmente eléctrico, 85 céntimos; con un coche de gasolina: 5,60 euros.

HISTORIA. ¿No sería fantástico que tu coche fuera totalmente eléctrico y pudieses enchufarlo en lugar de tener que llevarlo a una gasolinera? En estos momentos todavía no puedes comprar uno en tu concesionario, pero muchas compañías están investigando las baterías eléctricas y desarrollando «híbridos conectables», es decir, vehículos que funcionan con electricidad pero pueden cambiar a gasolina cuando se acaba la batería.

Lo que necesitan estos pioneros es apoyo del público. Es importante que los fabricantes de automóviles sepan que realmente queremos coches eléctricos y que los compraremos en cuanto los pongan a la venta.

¿SABÍAS QUE...?

- Los primeros coches en EE. UU. eran eléctricos. Los automóviles con motor eléctrico gozaron de gran favor entre el público hasta que Henry Ford logró que el motor de combustión resultara más asequible. A partir de ese momento, el sector de la automoción dio la espalda a la electricidad y se decantó por el petróleo.

- Tal vez por eso muchos creen que no existe la tecnología para fabricar coches eléctricos. Pero existe, y su eficacia está probada. A finales de los años noventa, General Motors, Honda y Toyota desarrollaron sus propios modelos eléctricos; los que tuvieron la suerte de comprarlos quedaron encantados. Recientemente, tanto General Motors como Toyota han anunciado que en el año 2010 pondrán a la venta híbridos conectables.

- Un coche eléctrico conectable es más limpio, más barato y funciona con energía de origen local. Incluso si ésta procede de centrales eléctricas, un vehículo totalmente eléctrico con una autonomía de unos 65 km producirá un 50 % menos de gases de efecto invernadero que uno convencional. Y si la electricidad procede de fuentes de energía renovables, la cifra se dispara a un 80 % menos que el de un coche normal.

- La electricidad es barata. En España, la energía eléctrica equivalente a un litro de gasolina es sustancialmente más barata que ésta.

En España, el Plan de Ahorro Energético (2008-2011) impulsado por el Ministerio de Industria, Turismo y Comercio pretende poner en circulación hasta un millón de coches eléctricos de aquí al año 2014. Con las actua-

les tarifas, recargar las baterías de un coche eléctrico es mucho más que llenar el depósito de gasolina: el litro de gasolina se acerca al euro, mientras
que el equivalente en electricidad son 21 céntimos de euro.

QUÉ PUEDES HACER TÚ

Tu referencia: Amigos de la Tierra es la rama española de una red internacional compuesta por organizaciones de 70 países. Descúbrela en: <tie-
rra.org> y amigos de la Tierra Internacional: <foei.org/es>.

Tu objetivo: Usa tu influencia como consumidor para convencer a las
compañías automovilísticas de que inviertan en tecnología eléctrica. Hazles
saber que la gente quiere coches eléctricos. «La clave del éxito son los fabricantes —dice Kate Horner, representante de FOE—. Pero sólo invertirán en
estos coches si piensan que hay un mercado. Cuando sepan que somos muchos los interesados, la industria cambiará de forma definitiva.»

EMPIEZA CON ALGO SENCILLO

- **Noche de cine.** En 1990, California aprobó una ley que requería vehículos
  con «cero emisiones». Los fabricantes se vieron obligados a desarrollar
  coches totalmente eléctricos, que presentaron al público como «vehículos
  de demostración». Sin embargo estos coches ya no pueden alquilarse
  porque la General Motors se cargó —literalmente— sus coches eléctricos desoyendo las protestas de sus propietarios. Alquila la película
  ¿Quién mató al coche eléctrico? (*Who Killed the Electric Car?*, 2006) y descubre esta historia fascinante. O mejor aún, compra el DVD en <PlugIn-
  Now.org> y después de verlo, pásaselo a tus amigos.

PASO A PASO

Paso 1. Lucha contra los mitos sobre los coches eléctricos. Infórmate
sobre ellos y conviértete en su defensor. Más información en: <tierra.org>.
Encontrarás un blog de coches ecológicos en: <cocheseco.com>.

**Paso 2. Busca asociaciones y únete a campañas a favor del coche eléctri-
co.** En España hay asociaciones de apoyo a la fabricación y la popularización
de los coches eléctricos. Consulta: <terra.org/articulos/art01266.htm>.

Paso 3. Habla con los fabricantes, especialmente con Nissan, Renault, General Motors y Toyota, ya que tienen más probabilidades de fabricar híbridos
conectables. Envía cartas diciendo que te interesa comprar un coche eléctrico.

Paso 4. Contacta con los políticos de tu país. Asegúrate de que el gobierno concede las mismas ayudas a los vehículos conectables y totalmente eléctricos que a los actuales híbridos, tanto fiscales como de investigación.

Para más información, consulta: <50simplethings.com/electriccar>.

2. COMPRA ALIMENTOS ECOLÓGICOS

Con sólo plantar un 10 % más de alimentos ecológicos, podríamos transformar 65.000 km² de suelo no apto para el cultivo en tierra fértil y altamente productiva.

HISTORIA. No hace tanto tiempo, la mayoría pensaba que los productos ecológicos eran algo para «maníacos de la salud». Sin embargo, hoy en día, cada vez más familias compran productos de este tipo cada semana. Los productos ecológicos son un sector de gran crecimiento en el mercado alimentario.

Esto son muy buenas noticias para las personas preocupadas por el medio ambiente porque la agricultura ecológica es la base de la agricultura sostenible. La agricultura ecológica enriquece el suelo, proporciona hábitats naturales y elimina los pesticidas. Sin embargo, el movimiento acaba de empezar a echar raíces; ahora necesitamos ayudarlo a crecer.

¿SABÍAS QUE...?

- «Ecológico» o «biológico» significa que un producto se ha cultivado sin «pesticidas ni fertilizantes tóxicos». También se refiere a un método de cultivo que emplea sistemas naturales para mantener y proteger el suelo.
- Los alimentos producidos de manera ecológica también se han cultivado sin antibióticos, hormonas sintéticas, ingeniería transgénica, residuos del alcantarillado ni radiaciones. (Sí, ¡aunque parezca increíble, en países como EE.UU. es frecuente usar residuos del alcantarillado en las cosechas!)
- En 2006, se publicaron 76 estudios científicos distintos en que se comparaba la agricultura convencional con la ecológica. Establecieron veinte categorías para el análisis. La convencional y la ecológica empataron en ocho, y la ecológica obtuvo mejores resultados en las otras doce. Entre ellas estaba un 30 % de mayor biodiversidad en granjas ecológicas, un 24 % de menor erosión del suelo y, por supuesto, un 100 % menos de pesticidas.
- Nuevos estudios confirman más ventajas. En 2007, un proyecto de investigación de la Unión Europea que duró cuatro años y costó más de 15 millones de euros demostró que los productos ecológicos poseen una mayor cantidad de antioxidantes y de vitaminas. «Los beneficios para la

salud son tan impresionantes —explica un experto— que pasar de alimentos convencionales a ecológicos supone el equivalente de comer una porción extra de fruta y verdura cada día».

En España, el control y la certificación de la producción agraria ecológica se lleva a cabo mayoritariamente a través de consejos o comités de agricultura ecológica territoriales, que son organismos dependientes de las consejerías o departamentos de Agricultura de las Comunidades Autónomas, o directamente por direcciones generales adscritas a las mismas. (Más información en: Ministerio de Medio Ambiente, Medio Rural y Marino: <mapa.es/es/alimentacion/pags/ecologica/introduccion.htm>.)

LO QUE TÚ PUEDES HACER

Tu referencia: En la rúbrica sobre Agricultura y Alimentación de la web de Amigos de la Tierra (<tierra.org>) y en <vidasana.org> encontrarás mucha información sobre campañas a favor de una agricultura sostenible. Enlaces relacionados con la agricultura ecológica en España: <vivelaagriculturaecologica.com/links.php>.

Tu objetivo: Promocionar y apoyar la agricultura ecológica y sostenible, paso a paso.

EMPIEZA CON ALGO SENCILLO

- **¡Consume alimentos ecológicos!** Empieza con poco; escoge un producto ecológico para sustituir un producto que sueles comprar. Comienza por las frutas de piel blanda, las verduras o los frutos secos, ya que está demostrado que son los que absorben la mayoría de los pesticidas.
- La *Shopper's Guide* es una tarjeta para llevar en el monedero que contiene una lista de las frutas y verduras más contaminadas, así como los productos que suelen estar «más limpios». Imprímetela en <foodnews.org.>.

PASO A PASO

Paso 1. Explota tu poder como consumidor. Ayuda a desarrollar el mercado de alimentos ecológicos comprándolos para tu familia. Empieza con los productos que te interesen, y luego añade básicos como la leche y el pan. Considéralo una inversión para obtener un medio ambiente más limpio y un sistema de alimentación más sano.

Paso 2. Haz propaganda en tu pueblo o barrio. Las estrategias a pequeña escala ayudan a que el movimiento crezca. Habla con los dueños de las tiendas y supermercados, lleva productos ecológicos a reuniones de trabajo o escolares, planta una pequeña huerta ecológica, anima a tu restaurante favorito a usar más alimentos locales o ecológicos, etc.

Paso 3. Apoya la agricultura ecológica. Apoya a aquellos políticos que quieren legislar a favor de la agricultura ecológica, añade tu voz a sus defensores a nivel local o nacional, etc. (Para más información dirígete a la Sociedad Española de Agricultura Ecológica [SEAE] en: <agroecologia.net>.)

Paso 4. Protege los alimentos ecológicos. El Parlamento Europeo ha estipulado que sólo los productos alimentarios procedentes de la agricultura ecológica podrán llevar su logotipo o aval. Estate atento a la lista de productos certificados. Para más información, consulta: <50simplethings.com/organics>.

El 42,7 % de los alimentos frescos presenta en España residuos de pesticidas, según el programa de control sobre fruta, verduras y cereales aportado a la Comisión Europea. Los datos han sido difundidos coincidiendo con una campaña de la Red Europea contra los Pesticidas (Pesticide Action Network), que pide la eliminación de los pesticidas más peligrosos para la salud. El 40 % de las muestras de frutas, verduras y cereales frescos en España tiene niveles de pesticidas en una proporción igual o inferior a la normativa exigida, mientras que en el 2,7 % de los casos los niveles rebasan el máximo permitido. Los datos españoles coinciden en general con la media de los dieciocho países europeos estudiados.

3. SOL, SOLETE

La cantidad total de energía solar que llega a la Tierra cada año es suficiente para proporcionarnos 10.000 veces la energía que usamos globalmente.

HISTORIA. ¿Crees que la energía solar es sólo un sueño del futuro? Pues prepárate para una sorpresa estupenda. La tecnología solar existe y está disponible AHORA MISMO.

De hecho, con un crecimiento de un 30 % anual, la energía solar es uno de los recursos energéticos con más proyección del mundo, y por un buen motivo. Es gratis, renovable, abundante y no contamina. ¿Qué más queremos?

¿SABÍAS QUE...?

- En 2006 la industria de la energía solar movió más de 10.000 millones de euros. Pero la mayor parte de ese dinero no se gastó en EE. UU., sino en Alemania (casi un 50 %) y en Japón. Ambos países están subvencionando la energía solar para rebajar costes y estimular el mercado.
- La industria solar alemana es la mayor del mundo y genera más de 10.000 empleos. Gracias a ella combaten el calentamiento global; usar energía solar para suministrar energía a un millón de hogares, por ejemplo, reduce las emisiones de CO_2 en 4,3 millones de toneladas al año: el equivalente de retirar de las carreteras 850.000 vehículos.
- En EE. UU., sin embargo, se ha hecho muy poco para promocionar la energía solar, a pesar de que siempre se han ofrecido incentivos a industrias de energía emergentes. De hecho, el gobierno estadounidense TODAVÍA da miles de millones de dólares a las principales empresas petrolíferas (¡entre 15.000 y 35.000 millones de dólares en subvenciones!) y a compañías nucleares (créditos fiscales, préstamos garantizados y pólizas de seguro gracias a la Ley de Política Energética de 2005).

En España, como parte del mercado laboral que proporciona el medio ambiente, las energías renovables destacan por el espectacular crecimiento experimentado en los últimos años y sus óptimas perspectivas de futuro. El desarrollo de estas tecnologías, sobre todo la eólica (con el 37 % de total de empleados en este sector), la solar térmica y la fotovoltaica han permitido la creación en España de un millar de empresas que ofrecen 89.000 puestos de trabajo directos y 99.000 indirectos, según un informe del Instituto Sindical de Trabajo Ambiente y Salud (ISTAS) publicado en 2008. Además, son ocupaciones estables, ya que los contratos indefinidos suponen el 82 % del total. Consulta: <istas.net/web/index.asp?idpagina=3402>.

Los expertos predicen que, con los incentivos gubernamentales adecuados, la energía solar, en menos de diez años, podría ser tan barata como la basada en combustibles fósiles. «Entonces —afirma el director técnico de General Electric—, el crecimiento de la energía solar pasaría a ser ilimitado.»

LO QUE TÚ PUEDES HACER

Tu referencia: La International Solar Energy Society (ISES), una organización internacional dedicada a la defensa del uso de la energía solar y a la unión de defensores de esta energía para crear una economía energética sostenible. Conócela en <ises.org>. También puedes ayudar colaborando con Eurosolar España, asociación europea de energías renovables en España (<eurosolar.de/en>, <energiasostenible.org>) y con Ecoserveis, una asociación para la promoción de productos y servicios de las energías renovables, la eficiencia energética y el medio ambiente (<ecoserveis.net>).

Tu objetivo: Sé un «defensor de la energía solar». Colabora con ISES para que la energía solar pase a desempeñar un papel crucial.

EMPIEZA CON ALGO SENCILLO

- **Demuéstratelo a ti mismo.** ¿Quieres pruebas de que la tecnología solar es viable? Busca «productos solares» en Google: verás lo que hay disponible.
- **Date un paseo solar.** La Plataforma Solar de Almería, el mayor centro de investigación de energía solar europeo, abre sus puertas: <psa.es/webesp/visitas/index.html>. También puedes visitar una central térmica solar.

PASO A PASO

Paso 1. Lleva la energía solar a tus familiares y amigos. «Aprendiendo y hablando sobre la energía solar —dicen los expertos—, ya ayudas muchísimo a su crecimiento, puesto que su mayor desventaja es que la gente no se da cuenta de lo real que es.» La ISES te proporcionará todos los recursos que necesites. Para más información, visita: <50simplethings.com/solar>.

Paso 2. Conviértete en defensor de la energía solar. Los gobiernos deben oír, una y otra vez, que la gente quiere energía solar y que la exige AHORA. Apoya a aquellos políticos que se enfrentan a las grandes empresas petrolíferas. Apúntate a manifestaciones o infórmate de actividades políticas.

Paso 3. Lleva la energía solar a tu comunidad. Mientras el coste de las fuentes de energía convencionales sube, el de la energía solar baja. Entérate de qué se hace en España con respecto a la energía solar; descubre a qué subvenciones e incentivos tienes derecho y únete a otros voluntarios prosolares para impulsar nuevas iniciativas. ¡Y si puedes instalar paneles solares en tu casa, hazlo! ISES te ayudará.

4. APOYA LOS BOSQUES SOSTENIBLES

Antiguamente un 48 % de la Tierra estaba cubierta de bosques. La mitad ya ha desaparecido.

HISTORIA. Los bosques centenarios son mágicos; parece que siempre han estado ahí... y que siempre lo estarán, no importa lo que hagamos. Pero eso es una ilusión. Cerca de un 95 % de los bosques centenarios que existían en América hace doscientos años ya no existen. A medida que crece la demanda de productos forestales, aumenta la presión para explotar los bosques naturales. Por eso, si queremos que sobrevivan, tenemos que asegurarnos de que son explotados de manera sostenible.

Actualmente, los bosques primarios cubren sólo el 7 % de la superficie terrestre. En España no quedan bosques primarios. Aunque todavía existen pequeñas superficies de bosque en los que el hombre no ha intervenido en zonas del Pirineo o la cordillera Cantábrica, estos reductos vírgenes son demasiado pequeños para ser considerados bosques primarios. Aun así es importante conservar estrictamente estos bosques viejos y maduros porque albergan gran parte de la biodiversidad forestal amenazada de los bosques ibéricos.

¿SABÍAS QUE...?

- Un bosque es más que un conjunto de árboles; es un complejo ecosistema donde existe un equilibrio delicado entre plantas, animales, microorganismos, suelo y agua. Los bosques albergan dos terceras partes de los seres vivos del planeta.
- «Si un bosque se gestiona de forma sostenible —afirma Richard Donovan, de la Rainforest Alliance—, puede durar para siempre. Aunque se talen algunos árboles, un bosque sostenible es un bosque sano.»
- Éste es un ejemplo típico, según el Consejo Nacional de Defensa de Recursos de EE. UU.: «El bosque Collins Almanor en California contenía 3.540.000 m^2 de madera cuando se inició su explotación en 1941. Sesenta años y 4.720.000 m^2 de madera más tarde, este bosque gestionado desde la sostenibilidad todavía cuenta con 3.450.000 m^2 de madera, y alberga colonias de garzas azuladas, osos negros, boas de goma y águilas de cabeza blanca.
- No todos los bosques «sostenibles» son iguales. Para algunas compañías madereras, un bosque sostenible es aquel que sigue produciendo made-

ra, por lo que estas empresas no tienen problema en talar árboles centenarios, destruir los ecosistemas y reemplazarlos plantando árboles de crecimiento rápido.

- ¿Acaso son iguales esos dos bosques? En absoluto. «Un bosque plantado se parece más a un campo de maíz que a un bosque natural —dice Donovan—. A no ser que una plantación se haya diseñado muy cuidadosamente para proteger los ecosistemas, ésta será un entorno hostil para casi cualquier animal, ave o incluso insecto. Y se ha demostrado que tiene un efecto negativo en el ciclo del agua, ya que los árboles no nativos de crecimiento rápido absorben agua en mayor cantidad. Con frecuencia, también se usan pesticidas.»

- Por lo tanto, aunque la cantidad total de árboles en EE. UU. está aumentando ligeramente, todavía se están perdiendo bosques. «Y lo que no estamos perdiendo, lo estamos degradando —explica Donovan—. Extraen todos los árboles buenos y dejan los enfermos, lo cual degrada la base de semillas y hace que sólo los débiles se reproduzcan. En términos evolutivos, es una catástrofe.»

LO QUE TÚ PUEDES HACER

Tu referencia: La Rainforest Alliance. Esta organización cree en la posibilidad de desarrollar una sociedad que proteja el planeta y proporcione a sus habitantes la capacidad de ganarse la vida de forma sostenible. Visita <rainforest-alliance.org>.

Asociación de forestales de España: <profor.org>. Esta entidad sin ánimo de lucro conciencia a la sociedad en general, y a los responsables políticos en particular, de la necesidad de una gestión sostenible de los recursos naturales, que permita un aprovechamiento racional y que sea compatible con la conservación y mejora del medio natural.

Tu objetivo: Buscar formas de proteger los bosques de tu país y hacer que la explotación de bosques sostenibles sea económicamente viable.

EMPIEZA CON ALGO SENCILLO

- **Usa papel reciclado 100 %.** Búscalo y cómpralo: seguro que es más barato de lo que imaginas. Anima a otros a hacerlo. No es algo teórico: usando papel ya usado, estás salvando árboles y bosques.
  Para más información, ve a: <50simplethings.com/forests>.

Paso a paso

Paso 1. Infórmate sobre desarrollo forestal sostenible. En 1993, un grupo de empresas y grupos ecologistas crearon el Forest Stewardship Council

(FSC) para certificar los productos de bosques gestionados de forma sostenible. La industria maderera creó su propio grupo, Sustainable Forestry Initiative (SFI), que tolera prácticas como la tala rasa de árboles. Investiga la diferencia. Ve a: <rainforest-alliance.org> y haz clic en «forestry». Otras páginas útiles son: <fsc.org.dontbuysfi.com>, <50simplethings.com/forests>, <fsc-spain.org>.

Paso 2. Apoya el desarrollo forestal sostenible. Compra madera y productos forestales certificados por el Forest Stewardship Council (busca el sello FSC) o la Rainforest Alliance (busca un logotipo con una rana). Si compras estos productos, contribuyes a la sostenibilidad a largo plazo de los bosques y las comunidades que dependen de ellos. Encuentra una lista de tiendas españolas con productos FSC en <terra.org/html/s/rehabilitar/madera/comercios.php>.

Calcula tu índice de «responsarbolidad» y únete a la campaña de compensación de emisiones de CO_2: <responsarbolidad.net>. Más árboles por un buen clima.

Invierte en árboles. Maderas Nobles de la Sierra de Segura, S.A. es una empresa de silvicultura sostenible de especies frondosas para la producción de maderas nobles de calidad y la regeneración medioambiental, que ofrece además a la sociedad un producto alternativo, ético, ecológico y seguro: <maderasnobles.net>.

5. SALVA LOS ARRECIFES

Un estudio reciente ha constatado que cerca de un 70 % de los arrecifes de coral del mundo han desaparecido o están a punto de hacerlo.

HISTORIA. Si has visto un arrecife de coral, nunca lo olvidarás: sus formas intrincadas, sus colores vivos... Pero los arrecifes de coral no sólo son bellos; son uno de los hábitats naturales más valiosos de la Tierra. Solamente cubren un 1 % de la superficie del planeta, pero albergan 25 % de las especies marinas conocidas.

Desgraciadamente, también son el ecosistema más amenazado del mundo. Los expertos creen que en los próximos cien años podrían desaparecer completamente si no hacemos algo por salvarlos.

¿SABÍAS QUE...?

- Un arrecife de coral es un enorme depósito de roca caliza creado por unas criaturas frágiles de forma tubular llamadas pólipos. Normalmente, los pólipos producen coral continuamente, por lo que los arrecifes crecen sin problemas. Sin embargo, cuando las condiciones son adversas, los pólipos mueren.
- La muerte de los corales amenaza a muchos otros seres marinos. Más de cuatro mil especies de peces, como el pez loro o el pez ángel, residen en los arrecifes. Medusas, estrellas de mar, erizos, tortugas y muchos otros animales tienen su hogar en los arrecifes... y dependen de ellos para alimentarse.
- Los arrecifes de coral existen desde hace 50 millones de años, lo cual hace que su destrucción sea aún más trágica. La mayor amenaza procede del calentamiento global; el aumento del dióxido de carbono en el aire está haciendo que el océano no sólo se caliente demasiado, sino que se vuelva demasiado ácido. (El océano absorbe CO_2, que se convierte en ácido carbónico.)
- Los científicos afirman que el coral es resistente y capaz de adaptarse a nuevas condiciones, pero sólo si reducimos el impacto negativo de las acciones de los seres humanos, como la contaminación, la erosión (el limo asfixia al coral), las consecuencias del desarrollo (restos de pesticidas) y la sobrepesca (con dinamita, cianuro y lejía).
- Hasta ahora sólo se ha investigado una pequeña parte de los beneficios que pueden aportar los arrecifes. Por ejemplo, recientemente varios compuestos encontrados en el coral se están usando en la zidovudina, un

fármaco contra el sida, y un 50 % de las nuevas investigaciones sobre el cáncer se centran en organismos marinos.

- Dos pesquerías españolas han entrado recientemente a formar parte del proceso de certificación completa del MSC (Marine Stewardship Council), el sistema más riguroso para evaluar la sostenibilidad de las pesquerías en el mundo, nacido en 1997. Se trata de la primera etiqueta que cumple íntegramente las directrices de la Organización de Naciones Unidas para la Agricultura y la Alimentación (FAO).

- Las dos entidades que han dado este paso en España son la Sociedad Cooperativa Gallega Ría de Arousa y el Plan de Explotación Conjunto de la Navaja de la Ría de Pontevedra (<msc.org/es>).

LO QUE TÚ PUEDES HACER

Tu referencia: Seacology, un grupo dedicado a la protección de las islas de todo el planeta, especialmente sus ecosistemas y culturas. Ha salvado más de 6.000 km^2 de arrecifes de coral desde 1993. Conócelo en: <seacology.org>.

Tu objetivo: Buscar maneras de proteger los arrecifes de coral mediante una mayor concienciación sobre los riesgos que sufren y actuando para protegerlos, aunque vivas a muchos kilómetros del océano.

EMPIEZA CON ALGO SENCILLO

- **Noche de cine.** Aunque no puedas ir al océano en persona, es posible experimentar la belleza de los arrecifes de coral desde casa. Alquila o compra la película *Aventura en el arrecife* (*Coral Reef Adventure*, 2003) y te sentirás inspirado. Compártela con tus amigos. Para más información sobre ésta u otras películas relacionadas, ve a: <50simplethings.com/reefs>.

Paso a paso

Paso 1. Protege un arrecife. Seacology salva los arrecifes mediante un trueque; ofrece algo necesario para la isla (como por ejemplo una escuela) a cambio de establecer un área marina protegida que impida la pesca en los arrecifes. Para los lectores de *50 cosas sencillas*, Seacology ha creado un fondo especial: el 100 % de tus donaciones se destinarán a salvar un arrecife concreto. Seacology te mantendrá informado y te enviará fotos para que veas exactamente cómo se gasta tu dinero. Más detalles en: <seacology.org/50simplethings>.

Paso 2. Inspira a un niño. Recientemente Seacology ha creado una iniciativa llamada «Adopta una isla». Es una forma divertida, fácil y educativa de que profesores y alumnos no sólo aprendan cosas sobre los arrecifes de coral, sino que participen activamente en su protección. Puedes mostrar esta iniciativa en las escuelas de tu barrio y crear una nueva generación de defensores de los arrecifes. Más información en: <seacology.org/education>. (Para otras formas de ayudar a salvar el coral, no importa dónde vivas, consulta: <50simplethings.com/reefs>.)

El Centro Nacional de Educación Ambiental (CENEAM) (<mma.es/portal/secciones/formacion_educacion/ceneam01/>) ofrece una Guía de Recursos para la Educación Ambiental en formato CD-ROM, que recopila, organiza y difunde la amplia variedad de recursos existentes en el campo de la educación y la divulgación ambiental.

Paso 3. Lucha por conseguir más reservas marinas. Sólo un 0,01 % del océano está protegido de la pesca, el dragado o el vertido de residuos. Únete a Seacology y otras organizaciones de protección del mar a fin de presionar a los gobiernos para que creen más reservas y parques naturales marinos. (Busca sus direcciones en: <50simplethings.com/reefs>.)

6. UNA AMENAZA INVISIBLE

Basta 1/70 de una cucharadita de mercurio para contaminar un lago de 10 ha, lo cual hace imposible comer su pescado durante un año.

HISTORIA. Mira a tu alrededor. No verás mercurio flotando en el aire, pero ahí está... y es posible que esté afectando tu salud.

El mercurio es un metal pesado que llega a la atmósfera a través de grandes contaminadores industriales, como centrales termoeléctricas de carbón, incineradoras y fábricas de cemento. La lluvia y la nieve lo llevan hasta nuestras vías de agua donde es absorbida por las plantas. Poco a poco va pasando por la cadena alimentaria, contaminando peces y envenenando a animales más grandes, como osos polares e incluso seres humanos.

Existe la tecnología para eliminar la mayor parte de la polución de mercurio..., pero no todo el mundo la emplea. Tú puedes contribuir a su implantación.

¿SABÍAS QUE...?

- Los estudios demuestran que basta tan sólo ¡1 mg! de mercurio para dañar a una persona. Y sin embargo, cada año permitimos que las centrales termoeléctricas de carbón emitan un mínimo de 48 toneladas de este metal. Ellas son el mayor responsable de emisiones de mercurio.

- El mercurio es un contaminante prioritario reconocido en muchos convenios y leyes nacionales e internacionales, como el convenio OSPAR, y ha sido clasificado como «sustancia peligrosa prioritaria» en la Directiva Marco del Agua.

- Estudios de laboratorio realizados sobre diversas aves muestran daños causados por el mercurio a su sistema nervioso y a los embriones en desarrollo. El mercurio parece también debilitar el sistema inmunológico, lo cual las hace más susceptibles de contraer enfermedades.

- El efecto del mercurio sobre las personas es igualmente alarmante: ataca nuestro sistema nervioso y nuestros riñones. Es especialmente peligroso para los fetos, ya que éstos pueden absorber mercurio de sus madres y sufrir lesiones cerebrales irreversibles. El riesgo es real: un 8 % de mujeres entre veinte y cuarenta años poseen suficiente mercurio en sus cuerpos para dañar a sus futuros bebés.

- ¿Es el mercurio un problema en tu familia? Para conocer la concentración de mercurio en tu organismo puedes visitar <mercuriados.org/es/pag494>.

En EE. UU., cada año 600.000 bebés corren el riesgo de sufrir lesiones cerebrales debido a la exposición de sus madres al mercurio.

LO QUE TÚ PUEDES HACER

Tu referencia: Earthjustice es una consultoría jurídica americana sin ánimo de lucro que lleva representando a organizaciones ecologistas desde 1971. Conócela en: <earthjustice.org>.

Tu objetivo: Obligar a las empresas contaminantes a que reduzcan o eliminen las emisiones de mercurio. «Existen muchos tipos de actuaciones ecologistas —dice Jim Pew, de Earthjustice— y reciclar periódicos no va a eliminar el mercurio del aire. Estamos hablando de grandes contaminadores industriales; es responsabilidad del gobierno controlarlos y nuestro deber como ciudadanos asegurarnos de que lo hacen.»

EMPIEZA CON ALGO SENCILLO

• **Infórmate.** La Unión Europea es el mayor exportador mundial de mercurio, pero ya ha prohibido su exportación a partir de 2011 «por motivos de salud». Su intención es disminuir el consumo en Europa, reduciendo tanto la fabricación de productos que lo contienen (termómetros, amalgamas dentales, lámparas fluorescentes, etc.) como su almacenamiento y emisiones. Consulta el texto de la ley que lo regula en el Diario Oficial de la Unión Europea (en castellano): <eurlex.europa.eu/LexUriServ/LexUriServ.do?uri=OJ:L:2008:304:0075:0079:ES:PDF:>.

PASO A PASO

Paso 1. Anúncialo a los cuatro vientos. Informa a tus amigos sobre los peligros del mercurio. Concienciar a la gente es un arma poderosa cuando se intenta influir al gobierno. Haz correr la voz mediante cartas al director, conversaciones con amigos y vecinos, y en blogs. Inspírate en: <earthjustice.org/mercury>.

Paso 2. Hazte oír. Las centrales eléctricas tienen que renovar periódicamente sus permisos en cuanto a residuos y contaminación. Si crees que existen irregularidades, puede ser el momento de protestar. Inspírate en: <earthjustice.org/mercury>.

Paso 3. Usa tu influencia. Tenemos la tecnología necesaria para limpiar las emisiones de mercurio en un 90 %. Asegúrate de que tu gobierno exige su instalación.

7. VOTA A FAVOR DE LA TIERRA

*En EE. UU., el congresista Richard Pombo luchó sin tregua para eliminar
leyes de protección del medio ambiente. En 2006, varias organizaciones
ecologistas hicieron una campaña contra él, informando a los votantes de su
postura. Finalmente Pombo fue vencido por un candidato «verde».*

HISTORIA. Si queremos proteger el medio ambiente, necesitamos el
apoyo del gobierno. En todos los niveles —local, regional, nacional—
son los políticos quienes deciden qué normas deben cumplirse, qué leyes tienen prioridad y qué nuevas industrias o tecnologías recibirán subsidios. Debemos asegurarnos de que esos políticos están de nuestro lado.

Los políticos no se eligen solos. Existen equipos de personas que trabajan duro para que tengan éxito: desde sus jefes de campaña hasta sus votantes. Si la política te interesa, elige candidatos que luchen por la salud de
nuestro planeta... y ¡ponte a trabajar a su lado!

¿SABÍAS QUE...?

- ¿Acaso importa quién gobierne? Pues claro que sí. Aquellas personas ele-
gidas también nombran a quienes deben hacer cumplir las leyes. Por
ejemplo, quien votara a George Bush en 2004 también votó a Philip A.
Cooney, conocido miembro del *lobby* pro petróleo, a quien luego Bush
nombró jefe del Consejo de Calidad Medioambiental de la Casa Blanca
(¡en serio!).
- Quien votase por el senador James Inhofe, lo hizo por un hombre que
cree que el calentamiento global es «la mayor broma pesada perpetrada
contra el pueblo americano».
- Los políticos locales y regionales a menudo cuentan tanto como los nacionales, ya que ellos tienen competencias en asuntos importantes, como
los parques naturales, el reciclaje o las energías renovables. Por ejemplo,
desde 2001 el programa climático de Salt Lake City ya ha reducido las
emisiones de gas invernadero en un 31 %, superando los objetivos del
Protocolo de Kioto.

LO QUE TÚ PUEDES HACER

Tu referencia: Busca el partido político verde en tu comunidad, la fuerza
política que lucha por el desarrollo sostenible y la preservación del medio
ambiente.

Tu objetivo: Inspírarte en las campañas ecologistas, duras y eficaces, para derrotar a candidatos antiecologistas. Apoya a aquellos líderes que luchan por un futuro limpio y sano para tu país.

EMPIEZA CON ALGO SENCILLO
• **Antes de unas elecciones, comprueba si estás en el censo electoral.** Asegúrate de que todos tus amigos «verdes» también están censados y pueden votar.

PASO A PASO
Paso 1. Averigua qué piensan los distintos candidatos o partidos sobre el medio ambiente. En EE. UU., la LCV (League of Conservation Voters) te informa sobre la legislación medioambiental más importante y de cómo votaron los congresistas y senadores al respecto (<lcv.org/scorecard>). Si en tu país no existe este sistema, infórmate como puedas de la postura de cada partido con respecto al medio ambiente.

Paso 2. Apoya a un candidato o partido. La mejor manera de darle tu respaldo es contárselo a la gente, así que escribe cartas al director y envía mensajes de correo a tus familiares y amigos demostrando tu apoyo. Recuérdales que el medio ambiente está relacionado con otros temas importantes. El uso de la energía, por ejemplo, ya no sólo tiene que ver con ser «verde», puesto que la dependencia del petróleo extranjero puede convertirlo en un asunto de seguridad nacional. Y crear empleos «verdes» puede ser crucial para la economía del país. Encontrarás más consejos y sugerencias en: <50simplethings.com/vote>.

Paso 3. Trabaja como voluntario en una organización o partido ecologista. Las bases juegan un papel muy importante en política. En EE. UU. se ha visto que las campañas puerta a puerta son la mejor forma de lograr que la gente preste atención y vote. Las elecciones locales a menudo se deciden por un puñado de votos, así que llamar a unas cuantas puertas más puede ser clave.

Paso 4. Trabaja directamente para tu candidato. Es muy probable que necesite tu ayuda... o tu contribución, si prefieres hacer una donación.

8. LAS LEYES DE LA NATURALEZA

La Ley de Especies en Peligro de Extinción, promulgada por EE. UU. en 1973, fue la primera ley que se aprobó en el mundo que obligaba a una nación a proteger todas las especies animales y vegetales dentro de sus fronteras.

HISTORIA. A principios de los años setenta, los estadounidenses se quedaron horrorizados al descubrir que el águila de cabeza blanca, su símbolo nacional, estaba al borde de la extinción.

De repente, EE. UU. se dio cuenta de lo amenazada que estaba su fauna. Los científicos estadounidenses consignaron cientos de plantas y animales que podían desaparecer, y así surgió la Ley de Especies en Peligro de Extinción. Los estadounidenses pueden sentirse muy orgullosos de esta ley bipartita, propuesta por un presidente republicano y aprobada por un congreso demócrata en 1973. El problema es que no siempre se obliga a cumplirla... y además importantes grupos de presión están intentando eliminarla.

¿SABÍAS QUE...?

* La Ley de Especies en Peligro de Extinción protege tanto especies «en peligro» de desaparecer (al borde mismo de la extinción) como especies «amenazadas» (que se encaminan hacia ella). Unas mil doscientas especies en EE. UU. están listadas oficialmente como amenazadas o en peligro, pero los científicos calculan que más de seis mil quinientas especies corren riesgo de extinción.
* Esta ley estadounidense ha logrado salvar a cientos de especies de la extinción, incluido el lobo, el oso pardo, el salmón del Pacífico y la ballena gris.
* La Unión Internacional para la Conservación de la Naturaleza (UICN) publica una Lista Roja de las especies amenazadas, y en su edición de 2008 declara que existen 1.141 mamíferos que se enfrentan a riesgo de extinción (un 21 % de las 5.487 especies conocidas). Elaborada por más de 1.800 científicos de más de 130 países, la Lista Roja alerta de la posibilidad de que centenares de especies desaparezcan en los próximos años, debido al impacto del ser humano en el ecosistema de estos animales.
* El lince ibérico, cuya población se estima entre los 84 y 143 adultos, se encuentra entre las especies amenazadas. Los especialistas lo han clasificado en la categoría de «en peligro crítico», que incluye las especies con mayor riesgo de extinción.

LO QUE TÚ PUEDES HACER

Tu referencia: La Fundación Biodiversidad es una organización de naturaleza fundacional, sin ánimo de lucro, cuya actividad se desarrolla en el ámbito de la conservación, estudio y uso sostenible de la biodiversidad, así como la cooperación internacional al desarrollo: <fundacion-biodiversidad.es>.

Tu objetivo: Proteger especies en peligro de extinción o amenazadas en el mundo o en tu país.

EMPIEZA CON ALGO SENCILLO

• **Adopta una especie.** Elige una especie que te preocupe y estudia su vida, su hábitat y las amenazas que hacen peligrar su supervivencia. Hay miles de animales y plantas maravillosos al borde de la extinción. Profundizar en una especie facilita la elaboración de la estrategia que hay que seguir. Infórmate en: <stopextinction.org/endangeredspecies>, en la sección española de la World Wild Fund (WWF): <wwf.es/wwf_adena>, o en la Lista Roja de la IUCN: <iucn.org/es>.

Paso a paso

Paso 1. Conoce las leyes. Puedes leer un resumen de la Ley de Especies en Peligro de Extinción en: <stopextinction.org/citizensguide>, y acceder a otras leyes internacionales y de la Unión Europea en: <wwf.es/colabora/tus_derechos_ambientales/conoce_las_normas_medioambientales>.

Paso 2. Firma una petición. Es fácil actuar a través de internet. Basta con firmar las peticiones que encontrarás en las páginas web de tus organizaciones ecologistas favoritas. Por ejemplo: <wwf.es/colabora/participa/dejate_oir>.

Paso 3. Inspira a un niño. Involucra a tus hijos en la defensa de los animales o convence a la escuela de tu localidad para que participe en una campaña concreta.

Paso 4. Hazte voluntario y defiende a tus animales. Muchas organizaciones luchan para proteger las especies en peligro en tu país. Únete a una de ellas y protege la fauna y flora de tu zona.

Para más recursos visita: <50simplethings.com/ESA>.

9. EL ÁRBOL ADECUADO EN EL SITIO ADECUADO

Plantar 50 millones de árboles en las ciudades de un país cálido puede propiciar un ahorro de energía equivalente a la que producen siete centrales eléctricas de 100 megavatios... si se colocan en la cara este y sur de los edificios.

HISTORIA. Lo habrás oído mil veces. Una de las mejores cosas que se puede hacer por el medio ambiente es plantar un árbol o, aún mejor, un montón de árboles. El motivo es que los árboles son unas fantásticas armas contra la contaminación, unos maravillosos ahorradores de agua y una verdadera salvación para el suelo. Además albergan animales y ayudan a conservar energía.

Pero plantar árboles no sólo significa poner semillas o árboles jóvenes en cualquier sitio. Para sacar el máximo provecho de un árbol, tienes que saber qué quieres de él... y qué especies te darán mejor resultado. También hay que saber cuidarlo. Es un compromiso a largo plazo, pero si estás dispuesto a dedicarle tiempo, plantar y cuidar árboles es una de las experiencias más gratificantes que existen.

¿SABÍAS QUE...?

- Cada año UN SOLO ÁRBOL ADULTO puede absorber 22 kg de gases invernadero, ayudar a renovar las aguas subterráneas, devolviendo casi 4.000 l de agua de lluvia al suelo, y producir suficiente oxígeno para dos personas.
- No obstante, el acto de plantar por sí solo no garantiza estos beneficios; el árbol tiene que sobrevivir el tiempo suficiente. Por ejemplo, el típico árbol de ciudad suele vivir entre ocho y quince años, pero no absorberá suficiente dióxido de carbono hasta que tenga diez años (algunos alcanzan la máxima absorción a los treinta y otros a los ochenta). Por eso, cuidar un árbol es tan importante como plantarlo.
- Para obtener el máximo provecho es fundamental saber DÓNDE plantar el árbol. Según estudios recientes, un árbol puede ahorrar más del 50 % de los gastos en aire acondicionado... pero sólo si se planta en la cara sur del edificio.
- El tipo de árbol también cuenta. Los pinos absorben mucha agua, lo cual puede ser destructivo en zonas secas. Un roble maduro en un parque o jardín es ideal para un hábitat urbano porque su copa puede dar una sombra de hasta 30 m de diámetro. (Aunque sus raíces y ramas podrían

ser destructivas en una calle o jardín reducido.) Un arce plantado junto a una carretera puede reducir el efecto de metales pesados como el cadmio y plomo sobre el medio ambiente.

LO QUE TÚ PUEDES HACER

Tu referencia: En <canalsolidario.org> puedes colaborar con la plantación de un árbol vía internet.

Tu objetivo: Mejorar la salud medioambiental de tu comunidad plantando el árbol adecuado en el sitio adecuado... y luego cuidándolo.

EMPIEZA CON ALGO SENCILLO

• **Adopta una especie.** Escoge un árbol de tu jardín o de tu calle y fíjate un poco en él. Estúdialo durante una semana. Considera que tú estás espirando CO_2, el cual el árbol absorbe, y que el árbol desprende oxígeno, que tú inspiras. ¡Os necesitáis mutuamente!

• **Investiga un poco más.** Descubre lo que pasa «bajo la superficie» de tu árbol con la Guía de los Árboles (Tree Guide) en: <50simplethings.com/tree>.

PASO A PASO

Paso 1. Estudia tu comunidad. Descubre qué papel juegan los árboles en los sitios donde vives, estudias, trabajas o descansas. Investiga el tipo de árbol que se ajustaría mejor a cada lugar. Encontrarás consejos en: <50simplethings.com/tree>.

Paso 2. Planta árboles. ¿Quieres plantar un árbol en tu casa o contribuir en algún proyecto de tu barrio? Es más fácil unirse a un grupo o asociación local, pero si decides hacerlo tú mismo infórmate en <treepeople.org> o en tu ayuntamiento.

Paso 3. Inicia un proyecto para tu comunidad. No hace falta que seas un experto en árboles, sólo alguien que quiera liderar un proyecto. Tendrás información y apoyo sobre cómo plantar y cómo cuidar los árboles a largo plazo. En Aulaga puedes encontrar una breve guía que te indica cómo plantar un árbol y posteriormente cuidarlo: <aulaga.info/archivos/documentos/PlantarArboles.pdf>.

Únete a «Plantemos para el planeta», la campaña del Programa de las Naciones Unidas para el Medio Ambiente: <plantemosparaelplaneta.org/inicio.asp>.

10. LA CAMPAÑA DE LAS «CIUDADES FRESCAS»

El Ayuntamiento de Chicago posee un jardín de 2.000 m² en su azotea. Dicho jardín forma parte de un experimento para reducir el efecto «isla de calor» que crean los centros urbanos.

HISTORIA. Seamos sinceros. Si pasamos demasiado tiempo preocupados por la magnitud del problema del calentamiento global, podemos agobiarnos tanto que la única acción que se nos ocurrirá es meternos en la cama y taparnos hasta las orejas.

Por ello es importante imaginar formas nuevas y creativas de enfrentarse al problema, como la campaña del Sierra Club, «Ciudades frescas» (Cool Cities), cuyo lema es «resolver el calentamiento global ciudad por ciudad». En esta campaña los ciudadanos trabajan con sus alcaldes para reducir las emisiones de gas invernadero, empleando estrategias de eficiencia energética, energías renovables y transporte «verde». Lo único necesario es gente como tú, que quiera implicarse.

¿SABÍAS QUE...?

- En 2005, el alcalde de Seattle, Greg Nickels, decidió que, aunque EE. UU. no hubiera firmado el Protocolo de Kioto, él se comprometería a recortar el impacto medioambiental de su ciudad... e invitaría a otros alcaldes a hacer lo mismo. Nickels fundó el Acuerdo de Alcaldes Estadounidenses para la Protección del Clima, que formó la base de la campaña «Ciudades frescas».
- Desde entonces, más de ochocientas «Ciudades frescas» han firmado el acuerdo, y cada día se suman a ella más alcaldes.
  —Warwick, Rhode Island, redujo en 1.200 toneladas las emisiones de CO_2 simplemente cambiando las bombillas incandescentes tradicionales por los más eficientes diodos emisores de luz (LED) en sus semáforos y señales de tráfico luminosas.
  —Evanston, Illinois, se comprometió a obtener un 20 % de su electricidad de fuentes de energía renovables, incluido el viento.
  —Omaha, Nebraska, dio a sus escuelas ayudas económicas para convertir sus autobuses escolares en vehículos biodiésel y adaptarlos para reducir humos.
  —Seattle rebajó en 2.400 toneladas las emisiones de CO_2 mediante mejoras en su parque de vehículos; entre ellas, sustituir los automóviles más viejos por coches eléctricos híbridos.

LO QUE TÚ PUEDES HACER

Tu referencia: En España, las entidades mas activas son Ecologistas en Acción, Depana y WWF-Adena.

Tu objetivo: Colaborar con miembros de tu comunidad para reducir las emisiones de gas invernadero.

EMPIEZA CON ALGO SENCILLO

• **Explora** «Ciudades para un futuro más sostenible», un directorio de ejemplos de buenas prácticas. Universidad politécnica de Madrid: <habitat.aq.upm.es>.

PASO A PASO

Paso 1. Aglutina a la gente. Las campañas como «Ciudades frescas» se basan en la fuerza de la comunidad, así que empieza a reunirte con amigos y vecinos para formar un club de jardinería, una asociación de padres, una empresa o un grupo de presión.

Paso 2. Habla con tu ayuntamiento. Primero investiga la postura de tu ayuntamiento sobre temas de contaminación y fíjate en las medidas positivas que ya se están tomando. Puedes exponer tu propuesta de modo que apoye estas iniciativas. Solicita una reunión y asegúrate que tu grupo representa un sector significativo de la población. La Guía del Activista (descargable en: <coolcities.us>) te dará información paso a paso y consejos de cómo tratar con un ayuntamiento reticente.

Paso 3. Prepara un «inventario de emisiones» de tu ciudad. Así podrás saber de dónde viene el CO_2 y cómo reducirlo. Los propios ayuntamientos u organizaciones ecologistas pueden realizarlos.

Paso 4. Contribuye en un proyecto. Participa en el movimiento <transitiontowns.org>, movimiento nacido en Gran Bretaña y que se está implantando con gran éxito en varias ciudades españolas.

11. ASFALTARON EL PARAÍSO...

Tan sólo en EE. UU. hay más de 6 millones de kilómetros
de carreteras asfaltadas, suficientes para dar 157 vueltas a la Tierra.

HISTORIA. La próxima vez que haya una tormenta, sal a la calle y observa. Mira toda el agua que baja por tu tejado, por tu acera y por tu calle. Fíjate en cómo se escurre por las alcantarillas.

Esta agua se llama «escorrentía» y, antes de llegar a las cloacas, recoge aceite, pesticidas, basura y partículas de tierra llamadas sedimentos. Quizás pienses que los residuos contaminantes se limpian por arte de magia antes de desembocar en ríos y mares, pero no es así. Las asquerosas sustancias que ves (y las que no ves) en los desagües, ese «arco iris aceitoso», van a parar directamente a nuestras vías fluviales.

¿SABÍAS QUE...?

- En un sistema natural, el agua de lluvia cae sobre la tierra, que la absorbe lentamente. Este proceso rellena los acuíferos y filtra las impurezas del agua.
- Hoy en día, gran cantidad de agua de lluvia NI TAN SIQUIERA TOCA la tierra porque la hemos cubierto con superficies impermeables como calzadas, aceras, tejados, aparcamientos... En EE. UU. el área dedicada a carreteras y aparcamientos asfaltados se ha estimado en unos 158.000 km², una superficie mayor que el estado americano de Georgia.
- El resultado: escorrentía superficial. De hecho, la escorrentía es la mayor causa de contaminación de agua en EE. UU. Y las consecuencias de ello son playas cerradas, peces muertos, algas intoxicadas y ríos bloqueados por el barro.
- En España, los vertidos de aguas residuales urbanas, vertidos de origen industrial y minero, y de malas prácticas agrícolas, son la causa principal de contaminación del agua según el Informe Agua de Greenpeace: <greenpeace.org/espana/news/informe-agua>.

LO QUE TÚ PUEDES HACER

Tu referencia: Ecología y Desarrollo (Ecodes) trabaja en España y en América Latina para conseguir un desarrollo sostenible. A través de sus proyectos, Ecodes lleva años trabajando para la preservación y la buena gestión de los recursos naturales hídricos: <ecodes.org/pages/areas/agua/index.asp>.

... lo cual produce casi 80 millones de toneladas de sedimentos que van a parar a nuestras vías fluviales

Tu objetivo: Reducir la cantidad de escorrentía que contamina nuestras aguas, empezando por la de tu propia casa.

EMPIEZA CON ALGO SENCILLO

- **Depura.** Según la Waterkeeper Alliance, «cuatro cosas que todos podemos hacer para mantener limpia el agua de lluvia son»: 1) lavar el coche en el césped o en un túnel de lavado; 2) compostar o reciclar los residuos de nuestro patio o jardín; 3) barrer, en vez de fregar o limpiar con manguera, las aceras o entradas a los aparcamientos, y 4) no usar fertilizantes o pesticidas, o hacerlo con gran moderación, y desechar de forma apropiada éstos y otros productos químicos de uso doméstico.

PASO A PASO

Paso 1. Instala una cisterna en tu casa. Una cisterna o un barril pueden recoger el agua de lluvia en tu terraza o jardín. Más tarde, dicha agua puede emplearse para regar las plantas o el césped, o para otras tareas domésticas. Más información en: <waterkeeper.org>.

Paso 2. Crea un «jardín pluvial». Si tienes jardín, canaliza el agua de lluvia hacia una parte sembrada con plantas autóctonas. «Recoger los primeros centilitros de agua de una tormenta impide que el 90 % de los agentes contaminadores pase a las vías de agua locales —dice Jeff Odefey de la Waterkeeper Alliance—. Los jardines son mejores filtros que los céspedes. Un jardín puede absorber 17 cl de agua por hora, y el césped apenas 5.»

Paso 3. Únete a una organización de protección del agua. De esta forma tendrás mucha más fuerza en tu campaña para controlar la escorrentía superficial.

Paso 4. Demuéstraselo al mundo. Con la ayuda de tu organización, instala un «jardín pluvial» u otro proyecto como demostración para tu comunidad. Para más sugerencias, visita: <50simplethings.com/runoff>.

Paso 5. Milita. Uno de los aspectos más graves de este problema es el causado por el sector de la construcción. Infórmate a fondo sobre este asunto e intenta convencer a los constructores locales de su importancia y explicarles las alternativas que tienen a su alcance. Consúltalas en: <50simplethings.com/runoff>.

12. ¡AHÓRRATE LA ENERGÍA!

La energía que consumen las familias en España se acerca al 30 %
del consumo energético total y se reparte entre un 18 % en la vivienda
y un 12 % en el del coche.

HISTORIA. De todas las estrategias diferentes que podemos usar para combatir el calentamiento global y la contaminación del aire, el ahorro de energía es la más rápida, limpia, barata y fácil. No cuesta nada, por ejemplo, apagar luces y aparatos electrónicos cuando salimos de una habitación. Sellar puertas y ventanas con cinta aislante es económico, especialmente si contamos lo que ahorramos en calefacción. Incluso aquellas medidas que son un poco caras al principio, como bombillas de bajo consumo o electrodomésticos eficientes (categorías A+ o A++), acabarán por darnos dividendos, así como una reducción importante de nuestro CO_2.

Si esto es así, ¿por qué el ahorro de energía no es una prioridad nacional? ¿Cómo podemos ganar la dura batalla contra el calentamiento global si ni siquiera nos comprometemos a hacer las cosas que son FÁCILES? Tenemos que trabajar juntos para cambiar esta situación, empezando por nuestro hogar... pero también debemos asegurarnos de que la eficiencia ecológica se convierte en una prioridad para las empresas y el gobierno. El planeta necesita invertir su energía en ahorrar energía.

¿SABÍAS QUE...?

- La energía es la mayor industria del mundo. Más de un 80 % de la contaminación del aire y de las emisiones de gas invernadero son consecuencia de la producción y uso de energía.
- Gran cantidad de nuestra energía se escapa, literalmente, por la ventana. La suma de las rendijas de puertas y ventanas en una casa de tamaño medio equivale a una ventana abierta de par en par.
- Estudios de mercado muestran que, desde que el presidente Jimmy Carter apareció en la televisión estadounidense en 1977 instando a la gente a bajar la calefacción y llevar jerséis, la gente asocia ahorrar energía con pobreza y sacrificio.
- Sin embargo, adoptar medidas y tecnología eficiente es actuar con inteligencia. Por ejemplo, los alumnos de una escuela de Nueva York (que estaban participando en un proyecto de ahorro de energía organizado por la asociación ecologista Alliance to Save Energy) se dieron cuenta de que las luces del comedor estaban encendidas a pesar de que la sala tenía ven-

tanas por todas partes. Simplemente apagaron la luz y, con ello, ahorraron 11.000 dólares al año.

LO QUE TÚ PUEDES HACER

Tu referencia: La Alliance to Save Energy promueve la eficiencia energética en todo el mundo para beneficiar a los consumidores, el medio ambiente y la economía. Conócela en: <ase.org>, y obtén sugerencias de ahorro en español en: <ase.org/section/topic/enespanol>.

Tu objetivo: Analizar tus decisiones energéticas diarias bajo el prisma de su impacto medioambiental... e inspirar a otros a hacer lo mismo. Hagamos del ahorro de energía una prioridad mundial.

EMPIEZA CON ALGO SENCILLO

- **Acepta el desafío.** Multiplica tu fuerza por seis. La Alliance tiene un programa para divulgar la importancia de eficiencia energética llamado el «Desafío de seis grados de eficiencia energética». La idea es simple: contesta seis preguntas simples sobre tu ahorro de energía, realiza seis acciones, anima a seis amigos a hacer lo mismo y descubre seis grados de separación entre todas tus decisiones ecológicas en: <sixdegreechallenge.org>.

PASO A PASO

Paso 1. Realiza una auditoría energética en tu casa y sigue sus recomendaciones. Una casa media puede llegar a producir casi el doble de emisiones de CO_2 que un coche, así que es un buen sitio donde empezar. Busca fugas ocultas y haz reparaciones poco visibles, que mejorarán tu comodidad y gasto energético y económico. Más información en: <50simplethings.com/ energy> o en la guía Cómo salvar el clima, de Greenpeace España: <greenpeace.org/raw/content/espana/reports/informe-c-mo-salvar-el-clima.pdf>.

Paso 2. Enseña eficiencia energética. Inspírate en el programa educativo de la Alliance, el Green Schools Program, que integra lecciones de energía dentro de otras asignaturas escolares, como las matemáticas. «Si puedes incluir el tema de la eficiencia energética en el sistema educativo, los alumnos comprenderán los problemas energéticos e influirán sobre sus padres, y tal vez podrán cambiar las decisiones que tomamos sobre energía», dice Merrilee Harrigan, de la Alliance. Descárgate sus lecciones en <ase.org/education> o consulta el programa escolar de Greenpeace España, Escuelas Amigas: <greenpeace.org/espana/getinvolved/educaci-n-ambiental/escuelas-amigas2>.

Paso 3. Pásate a la política. Ayuda a difundir el mensaje de eficiencia energética uniéndote a una organización o partido ecologista.

13. PIENSA A ESCALA GLOBAL: CONSUME COMIDA LOCAL

Hoy en día, en EE. UU., existen 5 millones menos de agricultores que en 1930.

HISTORIA. ¿Te has fijado alguna vez en el origen de la comida de tu nevera? Es increíble. Dependiendo de la temporada, puede que tengas naranjas de Israel, uvas de Chile, manzanas de Nueva Zelanda...

Es un sistema de distribución impresionante... pero la gente empieza a darse cuenta de que el transporte rutinario de alimentos de un continente a otro tiene un gran coste medioambiental. Por ello, ha surgido una nueva forma de pensar sobre lo que comemos, el llamado *movimiento de consumo local*.

¿SABÍAS QUE...?

- Actualmente en España, la mayor parte de comida fresca se transporta en grandes camiones desde granjas enormes, casi todas propiedad de macroempresas privadas. Una lechuga puede llegar a viajar una media de 3.000 km de la granja a la tienda, un apio, 2.800 km, y una cebolla, unos 2.700 km.
- En España la mitad de los productos elaborados son importados y la gran mayoría de la producción de productos frescos se exporta. Actualmente nos enfrentamos a alimentos caros, ingredientes lejanos e insanos, envases innecesarios, cultivos fuera de temporada, abuso de invernaderos y mecanización excesiva, por no hablar de las injusticias que conllevan, es decir, distribuidoras que concentran poder, cultivos en el sur con mano de obra barata, pequeños agricultores que no pueden sobrevivir en este contexto...
- De hecho, según el Natural Resources Defense Council (NRDC), una comida típica estadounidense contiene ingredientes de cinco países extranjeros como mínimo.
- La comida importada se transporta en avión, barco y camión. «En 2005 —informa el NRDC— las importaciones totales de alimentos a California produjeron una contaminación estimada en 250.000 toneladas de gases de efecto invernadero, más de 6.000 toneladas de óxidos de nitrógeno y 300 toneladas de partículas de hollín.»
- Otra consecuencia medioambiental importante es el impacto en la tierra cultivable y en el sistema alimentario. Comprar comida de procedencia

lejana pone en peligro a la tierra (y a los agricultores) de un país, ya que elimina el incentivo de proteger los campos. Por eso se están perdiendo tantos; según un estudio reciente, CADA MINUTO se pierde en EE. UU. casi una hectárea de tierra cultivable, que pasa a destinarse a otros fines.

LO QUE TÚ PUEDES HACER

Tu referencia: En Cataluña (<redconsumosolidario.org>) se trabaja desde 1996 para la promoción del consumo responsable y el comercio justo.

Tu objetivo: Apoyar a los agricultores de tu región comprando comida producida en tu localidad.

EMPIEZA CON ALGO SENCILLO

• **Ve a la caza del tesoro.** Intenta averiguar dónde se venden alimentos producidos localmente en tu barrio, sean tiendas, supermercados ecológicos, mercados, ferias o mercadillos.

Paso a paso

Paso 1. Compra productos locales. Una vez hayas descubierto dónde encontrar alimentos producidos en tu zona, intenta incorporarlos a tu cesta de la compra.

Paso 2. Encarga una caja. Averigua a través de internet cómo recibir en tu domicilio una caja de productos de temporada producidos en tu zona (generalmente por una cooperativa de agricultores), y encarga una cada semana. Si una caja es demasiado para ti y tu familia, compártela con otros.

Paso 3. Visita una granja (¡genial para los niños!). Hay mucho que aprender sobre cómo se produce nuestra comida y lo diferente (y mucho mejor) que sabe cuando procede de fuentes cercanas. Los mejores educadores sobre alimentos locales son las personas que los cultivan. Busca granjas educativas o casas rurales de tu zona que ofrezcan visitas guiadas.

Paso 4. Da una fiesta con comida local. Imprime recetas que detallen dónde encontraste cada ingrediente. ¡Puedes incluso invitar a un agricultor local a dar una charla!

Paso 5. Organiza una «Semana de consumo de alimentos locales». Esta gran idea ha sido un éxito en EE. UU. Lánzate y organiza actos que usen y promocionen alimentos autóctonos, como platos especiales en restaurantes u ofertas en las tiendas de tu barrio. Para más ideas, consulta nuestra página: <50simplethings.com/localfoods>.

14. LA TIERRA DE DIOS

Más de la mitad (55 %) de los estadounidenses que se consideran religiosos están a favor de una mayor protección ambiental.

HISTORIA. ¿Para ti proteger el medio ambiente es una cuestión religiosa? ¿Acaso lo ves como una forma de respetar la creación de Dios y servir a la humanidad?

Si es así, formas parte de un importante movimiento: el ecologismo religioso. «Amar a Dios y amar su creación significa proteger el mundo que nos rodea», explica la reverenda Sally Bingham de la Grace Cathedral de San Francisco.

Ahora que el calentamiento global aumenta y amenaza a más criaturas de la Tierra, muchas comunidades religiosas se han unido a la causa medioambiental. Si quieres que tu propia parroquia o comunidad se una a la lucha, tienes un aliado muy poderoso. No, no nos referimos a Él, sino a Interfaith Power and Light, tu organización de referencia en este capítulo.

¿SABÍAS QUE...?

- El activismo forma parte de la tradición religiosa americana. Sacerdotes y reverendos fueron una fuerza importante en los movimientos abolicionistas y de defensa de los derechos civiles.
- Las personas religiosas en EE. UU. tienen los números a su favor. Según Gallup, más de un 65 % de estadounidenses dice asistir a una iglesia o sinagoga. Eso son más de 200 millones de personas.
- Interfaith Power and Light (IPL) es una organización estadounidense dedicada a movilizar a gente de fe contra el calentamiento global. En 2006 proyectó la película de Al Gore, *Una verdad incómoda*, a más de medio millón de personas en iglesias de EE. UU. y sus sucursales regionales desarrollan programas independientes; por ejemplo, en Illinois ayudaron a doce parroquias a comprar energía de un parque eólico local.
- Muchas religiones están presionando para que el gobierno actúe. En 2007, los principales líderes cristianos, judíos y musulmanes de EE. UU. firmaron una carta destinada al presidente Bush y el Congreso estadounidense en la que calificaban el calentamiento global de «asunto moral y espiritual» y en la que se les pedía reducir los gases de efecto invernadero e invertir en energías renovables.

LO QUE TÚ PUEDES HACER

Tu referencia: Interfaith Power and Light (IPL). Fundada en 2000, IPL promueve el ahorro de energía dentro de organizaciones religiosas y ayuda a desarrollar programas ecológicos a aquellas parroquias interesadas. Conócelos en: <interfaithpowerandlight.org>.

Tu objetivo: Difundir el mensaje de que el cambio climático es un asunto moral.

EMPIEZA CON ALGO SENCILLO

• **Noche de cine.** Proyecta *¡Ilumínate! Una respuesta religiosa al calentamiento global (Lighten up! A Religious Response to Global Warming)* en tu parroquia o centro religioso. Este corto de veinte minutos fue nominado a un Emmy y trata de la fe y el medio ambiente. Descubre cómo adquirir una copia y una ficha para debatir la película en la página web de IPL.

• **Consigue la guía.** El programa «Estrella de Energía para Iglesias» (Energy Star for Congregations) incluye una guía que se puede descargar para analizar y mejorar las instalaciones de tu iglesia o centro religioso. Obtenla en: <50simplethings.com/IPL>.

PASO A PASO

Paso 1. Descubre lo ecologista que es tu parroquia. Habla con el cabeza de tu comunidad religiosa sobre la conexión entre religión y nuestro papel como guardianes de la creación. Pídele que dedique un sermón al tema y luego habla con miembros de tu comunidad para determinar quién querría formar parte de una campaña global.

Paso 2. Conoce IPL. Lleva información de IPL a tu centro o parroquia y explica qué podéis hacer para implicaros en la lucha medioambiental.

Paso 3. Calcula el impacto medioambiental de tu parroquia. Hazlo mediante el cuestionario de IPL en <coolcongregations.com>. Emplea sus recursos para descubrir cómo convertiros en una comunidad «verde».

15. RÍOS LIMPIOS

En el condado de Sacramento, California, hace dieciocho años que se celebra anualmente una Semana del Río (Creek Week). Cientos de voluntarios se ofrecen para limpiar los ríos y riberas de la zona, elaborar objetos artísticos con la basura recogida, y hacer una barbacoa.

HISTORIA. En un caluroso día de verano no hay nada como descalzarse y chapotear en un río... a no ser que te topes con un rótulo informando que el agua es tóxica. Es una imagen desagradable, pero muy frecuente en España. Al menos una tercera parte de nuestros ríos y arroyos están muy degradados, lo que propicia que el 54 % de los peces y el 29 % de las aves ribereñas están amenazados (WWF/Adena).

Es más, los ríos son un auténtico foco de peligro: las basuras y otros residuos procedentes de la escorrentía (véase capítulo 11) se convierten en un sedimento que cubre las cuencas de los ríos como una capa de cemento. La buena noticia es que la gente ha empezado a concienciarse del problema y ha formado grupos para proteger sus ríos. ¿Por qué no te unes o formas grupos similares? Es una gran forma de preservar el agua, educar a los niños sobre el medio ambiente... y pasarlo bien.

¿SABÍAS QUE...?

- En los últimos quince años, voluntarios y alumnos de veintitrés escuelas del estado de Nueva York han hecho excursiones a ríos de la zona para determinar la salud de sus aguas. Estudian los insectos y realizan análisis químicos de la composición del agua gracias a «Project Watershed», perteneciente a la campaña «Salva nuestros ríos» de la Izaak Walton League of America (IWLA).
- Para ayudar a limpiar los ríos locales los miembros de la IWLA inventaron el «recoge-basura», una cadena de botellas de leche de plástico y otros materiales reciclados que colocan en una parte del río en que haya poca corriente a fin de capturar basura flotante. Luego, estos residuos son recogidos periódicamente por voluntarios de la IWLA. Descubre cómo confeccionar y usar un «recoge-basura» en: <iwla.org/sos/waterskimmer>.
- En Hamilton, Ohio, durante el festival que organiza la IWLA cada Halloween, más de mil participantes hacen donaciones para comprar castañas y otros frutos secos. Luego, grupos de voluntarios distribuyen las que sirven como simiente y las plantan en las riberas para reducir la erosión de las orillas.

LO QUE TÚ PUEDES HACER

Tu referencia: La WWF/Adena que trabaja en la recuperación de los valores ambientales deteriorados de rías y riberas, implicando a los agentes que actúan en el territorio.

Tu objetivo: Limpiar, restaurar y proteger los ríos de tu comunidad.

EMPIEZA CON ALGO SENCILLO

- **Vete de excursión.** Sal a pasear con tu familia a un río o arroyo cercano. Hay cinco cosas que te recomendamos buscar: claridad del agua, cantidad de insectos, vegetación abundante, presencia de peces y fauna (incluidos pájaros, lagartos y serpientes).

PASO A PASO

Paso 1. ¡Da una fiesta! Reúne a amigos y familia para comer al lado de un río. Llévate botas de agua, guantes, bolsas de basura... y el picnic. Escoge una zona para limpiarla y ofrece un premio al «desecho más original».

Paso 2. Forma un grupo de «amigos» de un río. Convence a familia, amigos, vecinos o una escuela para unirse a él. Os podéis convertir en guardianes de un arroyo o una parte de un río. Adoptar un río mejorará tu entorno, protegerá el hábitat de la fauna local y restaurará un recurso natural. Encuentra todo lo necesario para empezar un proyecto de monitorización y restauración en WWF (<wwf.es/que_hacemos/agua_y_agricultura/nuestras_soluciones/restauracion_de_rios>) y en los programas del Ministerio del Medio Ambiente: la Estrategia Nacional de Restauración (<restauracionderios.org>) el Programa de Voluntariado en Ríos (<es/colabora/participa/hazte_voluntario/voluntariado_en_rios>), este último en colaboración con WWF España. Proyecto Ríos de la Asociación Territorios Vivos: <territoriosvivos.org/proyectorios/index.php?Menu=Inicio&ID1=1>.

Paso 3. Inspira a los niños. Habla con los profesores y la dirección de un colegio para crear un proyecto de «río sano». Los alumnos pueden realizar análisis para determinar la calidad del agua, estudiar los efectos de la contaminación en las cuencas hidrográficas y realizar tareas de restauración en el propio río. Inspírate en las guías del profesor de: <50simplethings.com/streams>.

Paso 4. Involucra a tu pueblo o ciudad. Informa de tus hallazgos al alcalde o ayuntamiento de tu localidad. Pídeles que patrocinen un evento parecido a la Semana del Río; las tiendas y empresas locales pueden ofrecer premios, bebidas y comida, o herramientas de limpieza, como contenedores. Invita a dar charlas a expertos en agua o fauna local y organiza actividades educativas prácticas para los niños. ¡Y finalmente lanzaos a limpiar!

16. CALIENTE, CALIENTE

Según un estudio de la Universidad de Stanford, una de cada cinco especies de flores silvestres podría extinguirse en el próximo siglo si los niveles de dióxido de carbono en la atmósfera se duplican, tal como se espera.

HISTORIA. Si cuidas un jardín, seguramente sabes algo que mucha gente no sabe: el calentamiento global ya está alterando la naturaleza. Tal vez has notado que las hojas están saliendo y floreciendo antes... o que los pájaros y las mariposas están reproduciéndose y emigrando antes de lo que solían... o que «nuevos» pájaros aparecen en tu jardín.

Puede que hayas pensado: «Estamos teniendo un invierno más cálido», pero la cosa es mucho más grave y los científicos prevén más cambios permanentes. Como jardinero, eres un guardián del medio ambiente, así que es importante que sepas que hay cosas sencillas que puedes hacer en tu propio jardín o barrio que pueden contribuir enormemente a proteger nuestro entorno.

¿SABÍAS QUE...?

- El cambio climático ya es visible. En EE. UU. los mapas de «zonas de resistencia» (aquellos que muestran las zonas geográficas donde una categoría específica de planta es capaz de vivir y en los que se incluyen la mayoría de etiquetas de paquetes de semillas) han tenido que actualizarse dos veces en los últimos veinte años para tener en cuenta el aumento de las temperaturas.
- Los mapas nos indican que, como en todas partes está subiendo la temperatura, los hábitats de las plantas se están desplazando hacia el norte. «Podría decirse que Washington, la capital del país, es la nueva Carolina del Norte», afirma la directora de los Jardines Botánicos de EE. UU.
- Las pérdidas de diversidad florística tienen una relevancia especial en el caso español, ya que nuestro país alberga una proporción muy elevada de la diversidad vegetal europea. Evitar las pérdidas de biodiversidad causadas por los impactos del cambio climático requiere respuestas globales. Las estrategias sectoriales que se elaboren requerirán un marco geográfico más amplio que el de las administraciones regionales o locales de las que dependen en la actualidad.
- La Asociación Española de Parques y Jardines Públicos fue fundada en 1973 en Barcelona por un grupo de técnicos de distintas administraciones. Su objetivo es promover un mejor conocimiento, profesionalización

y provecho para la sociedad de los distintos aspectos y problemática de los parques, jardines y el paisaje. En esta asociación, la Comisión de Mantenimiento estudia y analiza los métodos y procedimientos de mantenimiento de zonas verdes, así como el coste de los mismos, y así ha creado una base de datos de superficies de zonas verdes y costes de mantenimiento para las diferentes poblaciones españolas: <aepjp.es>.

• Según la revista *English Nature:* «Aquellos que cuidan un jardín pueden ayudar a mitigar los efectos del cambio climático al proporcionar hábitats para las especies más amenazadas y/o ahorrar agua cambiando sus plantas por otras que consuman menos».

LO QUE TÚ PUEDES HACER

Tu referencia: La National Wildlife Federation (NWF) se dedica a luchar contra el calentamiento global, a conectar a la gente con la naturaleza y a proteger la fauna y flora americana desde 1936. Visítala en: <nwf.org>.

Tu objetivo: Adoptar técnicas de jardinería que ayuden a minimizar el calentamiento global.

EMPIEZA CON ALGO SENCILLO

• **¡Que se haga la luz!** Deshazte de las bombillas incandescentes en tus lámparas de jardín y sustitúyelas por bombillas de bajo consumo, paneles solares u otros sistemas de ahorro de energía. Aunque no tiene que ver con cuidar las plantas, es una forma fácil de mejorar la eficiencia energética en el exterior tu casa.

• **La información es poder.** Infórmate en: <nwf.org/gardenforwildlife> y descárgate su Guía del Jardinero frente al Calentamiento Global (*Gardener's Guide to Global Warming*). Inscríbete en su boletín *Wildlife Online* y descubre más cosas sobre el calentamiento global y la jardinería, así como formas en que puedes ayudar a la fauna de tu zona.

  También puedes visitar la Liga para la defensa del patrimonio natural: <depana.org/WWF>, <wwf.es>, o la Fundación Acción Natura: <accionatura.org/index.php?lang=esp&opcio=0>.

Paso a paso

Paso 1. Ahorra agua en tu jardín. Si tienes en cuenta el consumo de agua cuando eliges una especie para plantar, lograrás que tu jardín esté precioso aunque haya escasez de lluvias. Siembra plantas que toleren la sequía, usa sistemas de irrigación por goteo o mangueras exudantes. Acolcha el suelo que rodea las plantas con materiales orgánicos para conservar la humedad cerca de las raíces y usa una cisterna para almacenar agua de lluvia (véase capítulo 40). No importa donde vivas, ahorrar agua es beneficioso para tu jardín y para el planeta.

Paso 2. ¡Siembra plantas autóctonas! Los expertos recomiendan plantas autóctonas, porque ya están adaptadas al nivel de precipitaciones de tu zona. A medida que el clima vaya cambiando, se adaptarán mejor que otras especies. También mejorarán el hábitat para la fauna local y atraerán pájaros a tu jardín.

Paso 3. Recorta el césped. Considera reducir la superficie de césped de tu jardín. Cada año los estadounidenses usan 36 millones de kilos de pesticidas en sus céspedes. Los céspedes en EE. UU. también suponen un 32 % del uso del agua en el exterior: un jardín más pequeño ahorra agua y gasolina (la del cortacésped de motor). Infórmate sobre céspedes «verdes» en: <nwf.org/gardenforwildlife>.

Paso 4. Cultiva nuevas amistades. Busca modos de que tus vecinos modifiquen sus costumbres. Defiende un paisajismo sostenible cambiando sus percepciones sobre céspedes y jardines. Más ideas en: <50simple-things.com/garden>.

17. POR UN MERCADO VERDE

«Recorre los pasillos de tu supermercado. ¿Cuántos productos reflejan criterios de sostenibilidad? ¿Y las compañías que los fabrican? ¿Y las tiendas que los venden? ¿Cuántos consumidores se hacen estas preguntas?» Joel Makower en su blog
Two Steps Forward.

HISTORIA. Al oír el término *productos ecológicos*, seguramente piensas en cosas como bombillas de bajo consumo o detergentes. Estos productos son importantes, por supuesto, pero los nuevos productos mejorados no son la única forma de consumir responsablemente. Construir un mercado «verde» también significa mirar con nuevos ojos las cosas que ya tenemos.

Por ejemplo, cuando ves una bonita camisa de algodón a diez euros en unos grandes almacenes, ¿te parece una buena oferta? Está claro que a TI no te costará mucho, pero ¿qué costó hacer esa camisa? ¿Cuánta agua, energía y pesticidas se emplearon para cultivar su algodón? ¿Qué métodos de extracción se emplearon para obtener el metal de los botones o cremalleras? ¿La fabricó en un país en vías de desarrollo alguien que gana un euro al día en una fábrica que produce toneladas de contaminación y luego se transportó hasta aquí, empleando petróleo de Oriente Medio? Si lo miras así, es una camisa muy CARA.

Eso no significa que todo lo barato sea poco ecológico o que, aunque así sea, no debamos comprarlo. Simplemente tenemos que cambiar la forma de pensar en lo que compramos. Necesitamos empezar a pensar en el coste REAL: no sólo en lo que nos cuesta a nosotros sino lo que le cuesta a la Tierra.

¿SABÍAS QUE...?
- J. K. Rowling, la autora de *Harry Potter*, pidió a sus editores que imprimieran sus libros en papel reciclado, lo cual abrió paso a que trescientas editoriales, incluidas HarperCollins UK y Random House, adoptaran políticas ecológicas con respecto al papel.
- La empresa Clorox lanzó su primera marca nueva en veinte años: Green Works, una línea de productos de limpieza biodegradables hechos con coco y aceite de limón, con envases reciclables y no testados en animales.
- Impulsados por consumidores ecológicos, las ventas de productos certificados de Comercio Justo (*Fair Trade*) aumentaron hasta alcanzar los 2.300 millones de dólares en EE. UU. Grandes empresas estadounidenses como Costco, Sam's Club, Dunkin' Donuts y McDonald's han empezado a vender café de Comercio Justo.

LO QUE TÚ PUEDES HACER

Tu referencia: Co-op America. Desde 1982, su misión ha sido usar nuestro poder como consumidores para crear una sociedad justa y ecológicamente sostenible. Conócelos en: <coopamerica.org>.

Tu objetivo: Emplear tu poder como consumidor para transformar nuestra economía de consumo y hacerla ecológicamente sostenible.

EMPIEZA CON ALGO SENCILLO

- **Lee la etiqueta.** Ten cuidado con el «verdeado», es decir, las falsas promesas de ecologismo que hacen algunas empresas sobre sus productos. Antes de creerlas, investiga los productos y sus productores. Empieza con la información que encontrarás en la página de Co-op America (<responsibleshopper.org>) y luego consulta <50simplethings.com/market> para enlaces sobre artículos e informes. Puedes consultar la página de Coordinadora Estatal de Comercio Justo: <e-comerciojusto.org/es>.

PASO A PASO

Paso 1. ¿Qué es ecológico? No podemos crear un «mercado verde» hasta que sepamos definir qué significa *verde* exactamente. ¿Es suficiente que esté hecho de materias renovables como el bambú o el maíz... o esas materias deben ser cultivadas localmente de forma sostenible? ¿Qué importancia le damos a la ética del fabricante? ¿Es el precio un factor? Cada uno debe nosotros debe decidir. En la web de Setem (<madrid.setem.org/generales.php?id=11&ids=1&idsb=2&lg=es>) puedes dar tu opinión y recibir información mediante preguntas y respuestas.

Paso 2. Pensar en categorías. Según Alisa Gravitz, de Co-op America: «Para algunas personas, ser "ecológico" puede sonar demasiado difícil: se preguntan cómo hacer cambios tan grandes en su vida... y entonces no hacen nada». Una solución: adoptar el «pensamiento en categorías». Escoge una categoría de consumo, como la energía, la comida o la ropa... y durante un año avanza paso a paso dentro de esa categoría. Nosotros podemos ayudarte en: <50simplethings.com/market>.

Paso 3. Vota con tu dinero. Una vez sepas lo que quieres, habla con los propietarios o encargados de las tiendas de tu barrio para que pongan más productos ecológicos en sus estantes. Busca tiendas con productos ecológicos en el portal español <ecototal.com> y si no encuentras estos productos en tu localidad, compra por internet en sitios como: <intermonoxfam.org/tienda> o bien <justonline.es>.

18. PARQUES Y JARDINES

La superficie total de parques urbanos en EE. UU. es de más de 4.000 ha y más gente usa los parques urbanos que los naturales. De hecho, el Central Park de Nueva York recibe 25 millones de visitas anuales, más de cinco veces las visitas del Gran Cañón del Colorado.

HISTORIA. Los espacios verdes urbanos (zonas naturales que se han conservado en áreas urbanas) son una parte esencial de la vida de la ciudad. Algunos son minúsculos oasis rodeados de cemento; otros son enormes ecosistemas, como el Central Park. Pero cualquiera que sea su tamaño, los parques urbanos son muy estimados por los beneficios que aportan (como por ejemplo, recreo para las personas o refugio para animales).

Sin embargo, la mayoría de los habitantes urbanos desconoce que, bajo la superficie —literalmente—, los espacios verdes también trabajan las 24 horas por la naturaleza. En cierto modo, son los protectores desconocidos del entorno urbano; proporcionan hábitats para la fauna local y lugares de descanso para las aves migratorias; absorben y filtran el agua de lluvia, reducen la contaminación de la escorrentía (véase capítulo 11) y ayudan a combatir el efecto «isla de calor» urbana, enfriando el aire de la ciudad mediante transpiración y evaporación. Los espacios verdes urbanos son muy valiosos y por eso es crucial crear más, así como preservar y proteger los que ya tenemos.

¿SABÍAS QUE...?
- Los espacios verdes urbanos pueden jugar un ENORME papel en la lucha contra el calentamiento global. Según un estudio importante de 2007, sólo se necesitaría un 10 % más de espacio verde en las ciudades para «reducir las temperaturas de las superficies urbanas hasta 4 °C, una cifra equivalente al aumento causado por el calentamiento global previsto para 2080».
- Los árboles también son una herramienta eficaz contra la escorrentía urbana. American Forests, una ONG que trabaja para proteger los árboles en EE. UU., calcula que los árboles de los parques han ahorrado al país 400.000 millones de dólares, que se habrían empleado en construir retenciones para las aguas pluviales. A pesar de ello, en las últimas décadas, la población de árboles ha disminuido hasta un 30 % en muchas ciudades (véase capítulo 9).
- Personas de todo el mundo han formado grupos independientes (Ami-

gos de los parques) que se dedican a mantener, mejorar y crear espacios verdes en sus ciudades. En 1975, por ejemplo, un pequeño grupo de ciudadanos concienciados de Chicago fundó la asociación Friends of the Parks para mejorar sus parques urbanos. Desde entonces han salvado más de 40 ha de terreno frente al lago Michigan e impedido la pérdida de más de 12 ha de parques ante intereses privados y municipales.

LO QUE TÚ PUEDES HACER

Tu referencia: El Trust for Public Land (TPL) es una organización ecologista americana que preserva la tierra y ayuda a crear parques en ciudades. Visítalos en: <tpl.org>.

Tu objetivo: Apoyar los esfuerzos de protección de los parques de tu localidad y ayudar en la creación de más espacios verdes urbanos.

EMPIEZA CON ALGO SENCILLO

• **Investiga en el parque.** Descárgate nuestra Guía de Parques (*Park Guide*), que encontrarás en: <50simplethings.com/parks>. Explora tu parque y piensa en sus aportaciones ecológicas. Están escondidas: en el filtrado de CO_2 y en la producción de oxígeno por parte de los árboles, en la tierra que filtra el agua, y en el hábitat en que pájaros y otros animales construyen sus casas.

Paso a paso

Paso 1. Vota a favor de los parques. Los parques o espacios verdes a menudo son temas de debate en elecciones municipales. Vota por aquellos partidos que los defienden.

Paso 2. Funda o únete a un grupo de amigos de un parque. Inspírate en: <50simplethings.com/parks>. En España consulta la página de la Asociación Española de Parques y Jardines Públicos: <aepjp.com>.

Paso 3. Crea espacios verdes. ¿Hay suficientes espacios verdes en tu ciudad? Explora la posibilidad de transformar solares o terrenos industriales abandonados en espacios verdes con la ayuda del Departamento de Parques y Jardines de tu ayuntamiento. (TPL ayuda a transformar zonas contaminadas en parques; puedes ver cómo lo hacen en su sección «Parks for People»: <tpl.org/tier2_pa.cfm?folder_id=705>.)

Paso 4. Investiga la Asociación Española Agricultura de Conservación de Suelos Vivos: <aeac-sv.org>.

19. SALVEMOS LAS BALLENAS... OTRA VEZ

El número de ballenas azules, el animal más grande de la Tierra, ha sido diezmado por la caza comercial hasta reducirse a un 5 % de su población original.

HISTORIA. ¿Cuántas veces has visto adhesivos de «Salvemos las ballenas» o «Olvidaos de las ballenas, salvemos a los humanos» u otros similares? La idea de proteger a las ballenas estuvo tan presente en los años setenta y ochenta que se ha convertido en un auténtico tópico.

Hace tanto tiempo de eso que podrías pensar que ya hemos salvado las ballenas y pasado a otra cosa. Desgraciadamente te equivocarías. Las ballenas, los delfines y otros mamíferos marinos todavía se enfrentan a enormes amenazas: residuos tóxicos, fortísimos ruidos como los producidos por sónares militares, escasez de alimentos e incluso un aumento de la caza. Por eso hoy hay una nueva lucha para salvar a las ballenas, y tú puedes ayudar.

¿SABÍAS QUE...?

• Aunque en 1986 la Comisión Ballenera Internacional impuso una moratoria a toda la caza comercial de ballenas, Japón, Noruega e Islandia siguen cazándolas. Desde la aplicación de la moratoria, dichos países han matado más de veintisiete mil ballenas.

• Los japoneses cazan ballenas, dicen, para «investigación científica», pero venden la carne de ballena como alimento, e incluso la emplean en comida para perros y gatos.

• Esto es especialmente indignante porque las ballenas ya están amenazadas. La Ley de Especies en Peligro de Extinción de EE. UU. (véase capítulo 8) lista ocho especies de ballenas en peligro de extinción tan sólo en aguas estadounidenses.

• La opinión pública puede cambiar algunas prácticas. Hasta principios de los años noventa, los delfines (que técnicamente también son ballenas) morían habitualmente en la pesca del atún: unos cien mil al año. Los consumidores se unieron y protestaron, y obligaron a las empresas a adoptar métodos de pesca seguros para los delfines. Como resultado, en la actualidad menos de mil delfines mueren en las redes atuneras cada año.

LO QUE TÚ PUEDES HACER

Tu referencia: El Proyecto Internacional de Animales Marinos de la organización Earth Island Institute, líder en la lucha contra la caza de ballenas y la matanza de delfines. Conócelos en: <earthisland.org/immp>.

Tu objetivo: Proteger a los cetáceos. Es un proceso a largo plazo, ya que no hay muchas cosas que puedas hacer directamente, pero siempre surgirán situaciones en que tu apoyo será necesario... y si prestas atención, podrás participar.

EMPIEZA CON ALGO SENCILLO

- **Estate ojo avizor.** En España existen varias asociaciones que luchan por la promoción de un consumo responsable de los productos marinos. En <wwf.es> puedes consultar la guía del consumo responsable de pescado. En esta misma página encontrarás los distintivos que contienen los productos más respetuosos con la pesca sostenible (MSC, Marine Stewardship Council).

  Busca en las latas de atún de tu país el lema «Inofensivo para los delfines» y exígelo en tiendas y supermercados.

PASO A PASO

Paso 1. Únete a un grupo de defensa de las ballenas. Busca una organización que defienda las ballenas en España (puedes consultar <cetaceos.com>) y descubre qué puedes hacer. Pasa la información a tus amigos.

Paso 2. Haz un viaje para avistar ballenas. Si las ballenas no vienen a ti, ve tú a ellas. Ver estas criaturas imponentes en su entorno natural es una experiencia maravillosa. Además, estarás apoyando una industria sostenible basada en estos animales, dando más razones para protegerlos. Elige una compañía de avistamiento (*whale-watching*) que promueva la conservación y que se mantenga a una distancia adecuada para no estresarlas. Y si te resulta imposible llegar hasta el mar, siempre puedes ver un documental. Información disponible en: <50simplethings.com/whales>.

Paso 3. Avista ballenas en la red. Busca noticias en internet y cuélgalas en un blog o página web. Envía correos electrónicos a tus amigos para alertarlos y mantente informado para que puedas apoyar las iniciativas de defensa de estos animales. La opinión pública es la herramienta más poderosa que tienen estas organizaciones, así que prepárate para manifestarte.

Para más recursos: <50simplethings.com/whales>.

20. ¡DEMASÍADA GASOLINA!

Obligar a reducir tan sólo 1,8 l a los 100 km el consumo máximo de gasolina de los automóviles fabricados antes de 2020, tal como decidió finalmente el Congreso estadounidense en 2007, ahorrará a ese país un millón de barriles de crudo al día.

HISTORIA. Con el calentamiento global, el pánico ligado al petróleo extranjero y los precios desorbitados de la gasolina, lo lógico sería que EE. UU. se hubiera lanzado a fabricar coches que consumieran menos carburante, ¿no? Pues no. EE. UU. tienen unas de las normas de eficiencia energética más relajadas del mundo. De hecho, las organizaciones ecologistas han tenido que luchar sin descanso para conseguir que su Congreso aprobase la primera ley en treinta años que obliga a reducir el nivel de consumo de los automóviles fabricados.

Es una locura. Debería ser evidente que mientras desarrollamos combustibles alternativos (véase capítulo 30) y coches eléctricos (véase capítulo 1) para el futuro, tenemos que reducir drásticamente la cantidad de gasolina que consumimos AHORA MISMO.

¿SABÍAS QUE...?

- Cada día EE. UU. gasta unos 1.500 millones de litros de gasolina. El resultado: gases de efecto invernadero, aire y acuíferos contaminados, vertidos de petróleo y amenazas a la seguridad nacional (aproximadamente un 60 % del petróleo consumido es de origen extranjero). Y encima los estadounidenses pagan a las compañías petrolíferas 1 BILLÓN DE DÓLARES AL AÑO por el privilegio.
- En 1975, el Congreso aprobó la primera reglamentación oficial sobre límites de consumo de carburante: los Corporate Average Fuel Economy Standards (CAFE). Según los CAFE, todos los modelos de automóviles y camiones ligeros que se fabrican deben tener un nivel máximo de consumo de combustible.
- La legislación funcionó. En 1975 la media de consumo máximo de los coches americanos era de 18,2 l a los 100 km. En 1985, se había reducido a 8,5 l cada 100 km. Estaba previsto que la ley se fuera endureciendo lentamente, pero los fabricantes de automóviles presionaron al gobierno para relajarla en 1986... y en veinte años los límites no se han tocado en absoluto.
- En Europa, los tubos de escape de los coches emiten gases y partículas contaminantes que causan cinco veces más muertos que los accidentes

de tráfico. Para controlar el problema, diversas ciudades europeas han puesto en marcha las Zonas de Bajas Emisiones, áreas de su casco urbano en las que impiden entrar a los vehículos más contaminantes. Pero no todos los vehículos contaminan por igual. La ciudad que mejor está ejecutando el programa es Londres: allí los vehículos más contaminantes se quedan fuera, a no ser que paguen una elevada tarifa diaria, unos 254 euros, por circular libremente por la capital británica. Para controlar el tránsito de vehículos, se dispone de un sistema de cámaras fijas y móviles que leen la matrícula de los vehículos mientras circulan por dicha zona, y cotejan la información con su base de datos. En caso de incumplir la normativa, se imponen sanciones de 1.000 libras, unos 1.269 euros. Consulta: <ecologiaverde.com> y <ciudades-sin-coches-contaminantes>.

LO QUE TÚ PUEDES HACER

Tu referencia: El Natural Resources Defense Council (NRDC) es uno de los mayores y más poderosos grupos ecologistas de EE. UU. Su iniciativa «Move America Beyond Oil» («Más Allá del Petróleo») busca apoyo para tecnologías y energías eficientes. Consulta <beyondoil.nrdc.org/50simplethings>. Infórmate sobre la situación en España en la sección de coches nuevos del Instituto para la Diversificación y Ahorro de la Energía (IDAE): <idae.es/coches>.

Tu objetivo: Usar menos gasolina para ayudar a reducir la contaminación que causa el calentamiento global.

EMPIEZA CON ALGO SENCILLO

- **¡Cuánto carburante!** Fíjate en el consumo de gasolina de tu propio coche y experimenta un poco: mira qué pasa cuando cambias algunas cosas, como reducir ligeramente la presión de los neumáticos. Ir a 100 km por hora en lugar de a 120 reduce el consumo en un 15 %, y apagar el motor cuando tienes que esperar más de un minuto puede ahorrarte un 19 %. Busca más consejos de ahorro en la web del IDAE: <idae.es/coches>.

PASO A PASO

Paso 1. Habla con tu concesionario más cercano. Diles que crees que las empresas deberían fabricar coches con un consumo menor. Al principio te mirarán extrañados, pero si varias personas lo comentan, el mensaje se irá filtrando hasta llegar arriba. Los concesionarios están acostumbrados a hablar de elevalunas eléctricos y les sorprenderá que la gente les hable de ecología. Infórmate en: <beyondoil.nrdc.org/50simplethings>.

Paso 2. Envía un mensaje a los fabricantes. Los cambios en el mercado de alquiler de coches son un indicador de lo que quieren los consumidores.... así que exige coches de bajo consumo cuando alquiles un coche. Y coméntalo en internet: muchos fabricantes acaban de inaugurar blogs, así que prestarán atención a lo que digas.

Paso 3. Pon el tema sobre la mesa. Únete a otros vecinos, organiza reuniones con políticos, el ayuntamiento o el gobierno autonómico... y decidles lo que pensáis. Destacad otras ventajas de exigir coches de bajo consumo como, por ejemplo, conseguir una economía más fuerte y una mejor seguridad nacional. Hacer que oigan estos argumentos una y otra vez ayudará a que se produzcan cambios.

21. APOYA EL COMERCIO JUSTO

«Los agricultores no pueden cuidar el medio ambiente con el estómago vacío»,
Juanita Baltodano, cultivadora de café, Costa Rica.

HISTORIA. Las regiones agrícolas de África, América y Asia se encuentran entre las áreas ecológicamente más sensibles del planeta. Y la mayoría de las personas que viven y trabajan esas tierras son de las más pobres del mundo. Sin embargo, suelen ser buenas conservadoras de la tierra, ya que su agricultura a pequeña escala protege el suelo y el agua y proporciona un entorno sano para la fauna local.

El problema es que la mayoría de estas personas tiene que luchar diariamente para llevar comida a la mesa, poner un techo sobre sus cabezas y enviar a sus hijos al colegio. La única forma en que pueden permitirse seguir protegiendo la Tierra es tener un mercado seguro para lo que cultivan o fabrican, y cobrar un sueldo decente. Al comprar productos de Comercio Justo les estás dando esa oportunidad.

¿SABÍAS QUE...?

- Así funciona el Comercio Justo: mayoristas de EE. UU. y Europa pagan a los agricultores un precio justo por sus productos (desde 1998 más de 100 millones de dólares de ingresos ADICIONALES han ido a parar directamente a estos agricultores). Los campesinos, a cambio, acuerdan cumplir ciertos criterios ecológicos y económicos. Los consumidores muestran su apoyo buscando el sello de Comercio Justo cuando van a comprar.
- En 2006, las ventas mundiales de productos certificados de Comercio Justo se estimaron en 2.300 millones de dólares, que han beneficiado directamente a más de 1,4 millones de agricultores originarios de sesenta países en vías de desarrollo.
- Los criterios ecológicos juegan un papel importante en el sistema. La mayoría de productos de Comercio Justo son biológicos, y dichos criterios o estándares prohíben la inclusión de organismos genéticamente modificados (OGM) y exigen un plan integrado de gestión de pesticidas para reducir los pesticidas químicos. Los métodos de cultivo sostenibles garantizan la fertilidad del suelo al tiempo que preservan ecosistemas valiosos para el futuro.
- Los productos de Comercio Justo se venden en más de 45.000 tiendas en EE. UU. Los más vendidos son el café y el chocolate, pero también tienen éxito el té, el azúcar, el arroz, los plátanos, las flores, la miel y el vino.

LO QUÉ TÚ PUEDES HACER

Tu referencia: Transfair USA, el único certificador independiente de productos de Comercio Justo en EE. UU. Consulta la <FairTradeCertified.org> y, en España, <sellocomerciojusto.org>.

Tu objetivo: Crear una demanda de consumo de productos de Comercio Justo con el objetivo de apoyar en pequeña escala a los agricultores de países en vías de desarrollo.

EMPIEZA CON ALGO SENCILLO

- **Busca el sello de Comercio Justo** cuando compres café, té, chocolate, azúcar, vainilla, plátanos y arroz. Y pide café de Comercio Justo en cafés y bares. Starbucks tiene un café de Comercio Justo llamado Café Estima, e incluso McDonald's lo ofrece, así que pídelo en todas partes.

En España existen numerosas cafeterías y servicios de restauración que ofrecen productos de Comercio Justo y agricultura ecológica. La Fundación Futur abastece a comercios y servicios hosteleros en todo el territorio: <fundaciofutur.org/esp>.

PASO A PASO

Paso 1. Elige un supermercado con amigos y vecinos y habla con el encargado para pedir más productos de Comercio Justo. Además, cada vez que compres, rellena un formulario de atención al cliente pidiéndolos. (P. D. ¡Y no olvides comprar en establecimientos que ya tengan productos de Comercio Justo!)

Paso 2. Combina trabajo y ecología. Convence a tu empresa para que consuma productos de Comercio Justo, como café, cacao, té y azúcar. Para más información y apoyo, consulta: <sellocomerciojusto.org/es/participa/quepuedohacer/eneltrabajo.html>.

Paso 3. Desayuna. Organiza un desayuno o una fiesta con productos de Comercio Justo (no hace falta que sea en tu casa). Diviértete, al tiempo que educas a tus amigos sobre Comercio Justo (y puedes hacerlo coincidir con el Día Internacional de Comercio Justo, que se celebra el segundo sábado de mayo en todo el mundo). Información y materiales en: <sellocomerciojusto.org/es/participa/campanhas/diajc_desayunosft.html>.

Paso 4. Convierte tu localidad en una «Ciudad por el Comercio Justo». Tras el éxito de las Ciudades por el Comercio Justo (Fair Trade Towns) en Europa, movilízate para lograr que el lugar donde vives se añada a la lista de poblaciones que apoyan el Comercio Justo en España. Para más información, consulta: <ciudadjusta.org>.

Para más recursos: <50simplethings.com/fairtrade>.

22. MINAS LIMPIAS

*Extraer el oro necesario para fabricar una clásica alianza de boda (9,4 g)
produce una media de 20 toneladas de residuos potencialmente tóxicos.*

HISTORIA. Quizás pienses que no tienes nada que ver con la minería,
pero mira a tu alrededor: todo lo que está hecho de metal —de cuberterías a teléfonos móviles, de bisagras a latas de refrescos— procede de la extracción minera.

Desgraciadamente, la minería es una de las industrias más contaminantes del mundo, y uno de los motivos de ello es que apenas le prestamos atención. En consecuencia, las empresas que extraen oro, cobre, bauxita y otros minerales diezman con impunidad algunas de las zonas más sensibles del planeta. Nosotros, como consumidores responsables, debemos impedirlo.

¿SABÍAS QUE...?

- Según informes de la propia industria minera dirigidos a la Agencia de Protección Ambiental estadounidense (EPA), dicha industria es la causa de principal de contaminación tóxica, y lo es desde hace años. La minería es responsable del 50 % de todas las emisiones tóxicas de EE. UU.
- ¿Has oído hablar de la mina Summitville, en Colorado? La empresa canadiense que la explotaba vertió residuos tóxicos de la mina en el río Alamosa entre 1984 y 1992, y luego se declaró en bancarrota. La zona quedó tan contaminada que el gobierno estadounidense tuvo que declararla «zona de peligro». Todavía están intentando limpiarla, con dinero público.
- Hay muchas historias similares. La mina de oro Zortman-Landusky, en Montana, vertió 190.000 l de una solución con cianuro en el suministro de agua de la localidad; la mina de Midnite, en el estado de Washington, contaminó los acuíferos de la zona con material radiactivo (¡y luego se negó a limpiarlos!), etc.
- La contaminación de las minas no termina cuando la mina cierra. En EE. UU. hay medio millón de minas viejas y abandonadas... y muchas de ellas siguen desprendiendo ácido tóxico, que acaba en los ríos cercanos. Sólo en el estado de California existen cinco mil de estas minas contaminantes.

LO QUE TÚ PUEDES HACER

Tu referencia: Earthworks. Desde 1988 se dedican a proteger a las personas y el medio ambiente del impacto destructivo de la minería. Visítalos en: <earthworksaction.org>.

Tu objetivo: Usar la ley y tu poder como consumidor para reducir el efecto nocivo sobre el medio ambiente de la industria minera y eliminar sus peores prácticas. «Las empresas deben oír directamente del público que éste quiere una alternativa a los metales "sucios"», dice Payal Sampat, portavoz de Earthworks.

EMPIEZA CON ALGO SENCILLO

- **Da la lata.** Otra razón para reciclar las latas (y los móviles y los aparatos electrónicos y otros objetos de metal) es que así se reducen los residuos de la industria minera. Cada año los estadounidenses tiran a la basura 1,5 millones de toneladas de latas de aluminio; para reemplazarlas deben extraerse 6 millones de toneladas de bauxita.
- **Encuentra un sitio** (trabajo, escuela o parque) donde no se reciclen las latas y pon un contenedor. Asegúrate que luego llegan a un centro de reciclaje.

Paso a paso

Paso 1. Lleva la campaña a tu territorio. Cuando los joyeros descubren lo destructivas que son las empresas mineras suelen querer hacer algo al respecto. En EE. UU., Earthworks inició la campaña «No más oro sucio» y también diseñó una campaña para el día de San Valentín, ambas ideadas para presionar a la industria minera. Más de treinta empresas de joyería, entre ellas siete de las diez más grandes, ya se han unido a la campaña. Inspírate en ellos para realizar o sugerir acciones parecidas en tu país. Más información en: <nodirtygold.org>, o su versión en español: <nomasorosucio.org>.

Paso 2. Presiona a las multinacionales. La industria minera necesita oír que sus mejores clientes —las grandes multinacionales— se preocupan por la ética de sus métodos. Earthworks te explica cómo ir más allá de la joyería para influir en otros sectores de la economía, como el electrónico y el de bebidas.

Descubre cómo reciclar tu teléfono móvil en: <minis.cat/esp/reciclar-telefonosmoviles.php>.

Paso 3. Exige mejores leyes. Necesitamos una legislación moderna que nos proteja a nosotros y al medio ambiente. Inspírate en: <earthworksaction.org/us_program.cfm>.

23. GOTA A GOTA

La escasez de agua ya afecta a todos los continentes y a cuatro de cada diez habitantes de la Tierra.

HISTORIA. Los expertos prevén que el agua va a ser «el petróleo del siglo XXI». Y puede que incluso se queden cortos, porque el agua no es sólo esencial para que funcione nuestra sociedad; literalmente no podemos vivir sin ella.

Basta con fijarse en lo que está pasando con las sequías, la disminución del nivel de agua y la contaminación de nuestras cuencas fluviales para comprender que el acceso a agua dulce y limpia es un problema cada vez más grave, incluso explosivo.

¿SABÍAS QUE...?

- En la Tierra hay mucha agua: se calcula que hay 1.400 millones de billones de litros. (Sí, lo has leído bien.) Sin embargo, sólo un 2,5 % es agua dulce... y sólo un 3 % de esa agua se puede usar. El resto está almacenada en forma en glaciares y nieve.
- Piénsalo de esta manera: si el suministro mundial de agua fuese 4 l, el agua dulce representaría 0,15 l y el agua accesible a nosotros —para beber, bañarnos y preservar la vida— serían DOS GOTAS.
- El crecimiento de la población está creando problemas de escasez de agua (véase capítulo 47). También la contaminación.
- En España existen más de 300.000 vertidos a cauces superficiales, de los que el 80 % tiene el carácter de vertidos indirectos. De los 60.000 vertidos directos existentes, 10.000 corresponden a vertidos municipales, alrededor de 40.000 a la ganadería y 10.000 proceden de complejos industriales.

  Y la urbanización del terreno ha convertido nuestros bosques y campos en superficies asfaltadas que ya no pueden absorber la lluvia ni la nieve para que se filtre hasta los acuíferos (véase capítulo 11).
- El cambio climático está aumentando la presión sobre nuestro suministro de agua. Científicos de la ONU calculan que el calentamiento global será responsable de un 20 % del aumento en la escasez de agua.
- Las personas ya están sufriendo la escasez de agua. Según la Organización Mundial de la Salud: «Actualmente 1.100 millones de personas carecen de acceso a agua limpia y 2.400 millones no tienen acceso a instalaciones de saneamiento adecuadas». Pero la cosa va a peor: «Dentro de unos cuarenta años, la escasez de agua puede llegar a afectar a 7.000 millones de personas»

LO QUE TÚ PUEDES HACER

Tu referencia: American Rivers, una organización que «protege y promueve los ríos de Norteamérica como un bien precioso, vital para nuestra salud, seguridad y calidad de vida». Conócelos en: <americanrivers.org>.

Tu objetivo: Convertir el uso eficiente de agua en una prioridad de nuestra sociedad. «Uno de nuestros problemas —explica Betsy Otto, de American Rivers— es que el ahorro de agua no es un tema atractivo. La gente no quiere pensar en ahorrar agua hasta... que se queda sin ella.»

EMPIEZA CON ALGO SENCILLO

• **Empieza a ahorrar.** American Rivers te ofrece «tres formas sencillas de ahorrar agua»: 1) reparar fugas de agua. Un grifo que deja caer sesenta gotas por minuto desperdicia más de 725 l al mes: las mangueras y sistemas de irrigación que gotean pueden llegar a perder un 50 % del agua que usan; 2) instala cabezales de ducha de flujo reducido y difusores en los grifos, ya que pueden ahorrar un 50 % de agua, y 3) cierra el grifo mientras te cepillas los dientes o te afeitas. Puedes ahorrar 18 l de agua cada vez. Más consejos en: <ahorraragua.com> y <terra.org.articulos/art01610.html>.

Paso a paso

Paso 1. Empieza en casa. ¿Cuánta agua usas? Busca tu factura y fíjate bien. ¿Cuánto gastas en comparación con tus vecinos o amigos con necesidades parecidas? Haz un seguimiento mensual o trimestral.

Paso 2. Controla tu compañía de suministro. Es más fácil ahorrar agua si tu compañía te ayuda. Averigua lo siguiente: ¿tienen un sistema de precios que premie el uso eficiente del agua? ¿Ofrecen productos para el ahorro del agua? Ayúdalos a mejorar uniéndote a amigos y vecinos para convencerlos de poner en marcha estos proyectos. Busca inspiración en: <americanrivers.org/50simplethings>.

Paso 3. Inspira a un niño. Introduce la educación sobre el consumo eficiente de agua en una escuela. La vida de nuestros hijos depende de que comprendan estos temas. Para materiales educativos y juegos, consulta la base de datos del Ministerio de Medio Ambiente en España: <es/secciones/enlaces/documentos_juegos_edamb.htm>.

Paso 4. Conviértelo en ley. Proteger nuestro suministro de agua es demasiado importante para dejarlo en manos del azar. Necesitamos elegir a políticos que APRUEBEN LEYES que fomenten el uso eficiente del agua. Estudia cómo se está haciendo en EE. UU.: <americanrivers.org/simplethings>.

24. CONSTRUCCIÓN VERDE

Greensburg, Kansas, una pequeña población que fue arrasada por varios tornados en 2007, se convirtió en la primera localidad estadounidense en exigir legalmente que todos los edificios públicos obtuvieran una certificación medioambiental. Sus diez edificios nuevos duplican el número de edificios «verdes» en Kansas.

HISTORIA. Cuando piensas en las causas principales del cambio climático, probablemente piensas en las emisiones de los coches, fábricas o centrales eléctricas. En EE. UU., suponen un 36 % de todas las emisiones de gas invernadero, consumen 71 % de la electricidad del país y un 12 % del agua potable, es decir 56 billones de litros al año. En España estos sectores consumen el 40 % de la energía total.

La normativa en el sector de la construcción tradicionalmente se ha centrado en temas de seguridad, como prevención de incendios, instalación eléctrica, requisitos estructurales, pero no en aspectos medioambientales. Incluso cuando la gente empezó a colocar paneles solares en los tejados, no había una definición general de «edificio sostenible» o una forma de saber si realmente funcionaba. Ahora sí existe. En Estados Unidos se llama LEED y nos ayudará a construir, literalmente, un mundo mejor.

En España actualmente está en vigor el Código Técnico de la Edificación (<codigotecnico.org>), el RITE (Reglamento de Instalaciones Térmicas de Edificios: <idae.es/revision-rite/interior.asp>), así como el Real Decreto de Certificación Energética.

¿SABÍAS QUE...?

- LEED son las siglas de la Normativa en Energía y Diseño Ambiental (Leadership in Energy and Environmental Design), un sistema estadounidense de clasificación de construcciones ecológicas desarrollado por los miembros del Consejo de Construcción Ecológica de EE. UU. (USBGC) en el año 2000. En la actualidad existen sistemas LEED en más de dieciocho países.
- La acreditación LEED es como una etiqueta de nutrición para edificios: analiza la eficiencia energética y del consumo de agua, los materiales empleados, la procedencia de dichos materiales, la calidad del ambiente interior, y cómo todo ello puede reducir nuestro impacto ecológico sobre la Tierra.
- En 2005 el mercado anual de productos y servicios ecológicos para el sector de la construcción en EE. UU. fue de 7.000 millones de dólares, y en

2008, superó los 12.000 millones. Es decir, es un sector en claro crecimiento.

- Algunos ejemplos de innovaciones empleadas en construcciones «verdes»: azoteas cubiertas de vegetación que recogen el agua de lluvia y proporcionan hábitats para aves, inodoros sin agua y grifos de flujo reducido y claraboyas. Entre los nuevos materiales empleados se encuentra el vidrio reciclado, las encimeras de resina o aislantes térmicos hechos con tela tejana reciclada.
- La ecología no es sólo para edificios nuevos. Desde 2007 cualquier edificio puede optar a la acreditación LEED.

LO QUE TÚ PUEDES HACER

Tu referencia: El U. S. Green Building Council (USGBC). Desde su fundación en 1993, el USGBC ha crecido hasta reunir más de trece mil organizaciones y empresas miembros y una red de 72 sucursales. USGBC ofrece cuatro niveles básicos de acreditación: Certificado, Plata, Oro y Platino, así como conferencias y talleres de formación. Infórmate en: <usgbc.org>.

Tu objetivo: Ayudar a transformar el mercado de la construcción aplicando y promocionando prácticas ecológicas e integrales en el diseño de edificios.

EMPIEZA CON ALGO SENCILLO

- **Comienza por tu casa.** Descárgate la guía del USGBC, 16 grandes ideas para una vida más verde (*16 Great Ideas for a Greener Life*) e infórmate de cómo hacer que tu casa o edificio sea más sostenible. Nuestra sugerencia: escoge tus cinco ideas preferidas y empieza por ahí. Consigue el archivo en: <50simplethings.com/building>. Para recursos en español puedes consultar la página de la Asociación Española de la Bioconstrucción: <ae-bioconstruccion.org>.

PASO A PASO

Paso 1. Cambiar es bueno. A pesar del éxito de la construcción sostenible en edificios comerciales y públicos, el concepto todavía necesita empuje en el ámbito local. Los departamentos de planificación y urbanismo se pueden mostrar reacios a construir —aunque sea ecológicamente— y muchas leyes y directivas del sector han quedado obsoletas. Las encuestas demuestran que la razón principal por la que no se construyen edificios sostenibles es la falta de información.

Así pues, educa a tu comunidad sobre la construcción sostenible. Monta una mesa o *stand* en alguna feria local con fotos y detalles de casos concretos. Si conoces el sector de la construcción, haz una presentación ante personas con poder de decisión o muéstrales una casa o edificio sostenible. Puedes obtener recursos (incluida una presentación de PowerPoint introductoria) en la página del Consejo de Construcción Verde de España (CCVE): <spaingbc.org/leed/leed.html>, o en la Agenda de construcción sostenible del Colegio de Arquitectos y Aparejadores Técnicos de Barcelona: <2.csostenible.net>.

Paso 2. Conviértelo en una carrera. La edificación sostenible es un negocio al alza y somos conscientes de que va a tener un interés especial para los profesionales del sector: empresas promotoras, inmobiliarias, constructoras, estudios de arquitectura, compañías de servicios técnicos, etc. Si trabajas en la industria de la construcción, o si eres dueño de propiedades residenciales o comerciales, puedes incorporarte a la campaña por la sostenibilidad. Haz que tu empresa se haga miembro del CCVE y aprovecha sus talleres de formación, documentación, conferencias y otros recursos. Aún mejor, participa en sus comités y promociona la acreditación LEED en tus propios proyectos u otros en tu zona.

25. ESPACIOS NATURALES

*Unas 2.500 ha de espacios naturales se están perdiendo cada día,
a una velocidad de 1,5 ha por minuto.*

HISTORIA. A veces parece que nuestro planeta está siendo engullido por hipermercados, parques industriales, centros comerciales y urbanizaciones.

A pesar de que esto es preocupante, debemos recordar que también poseemos todo lo contrario: enormes espacios de terreno natural protegido. (En EE. UU. estas zonas totalmente intactas, donde no puede construirse nada, ni siquiera carreteras, tienen la denominación oficial de «wilderness areas» [áreas protegidas], y están exactamente igual a como estaban hace 200 años y como estarán dentro de doscientos años.) El problema es que sólo hemos protegido una pequeña parte del territorio necesario para compensar los efectos del calentamiento global y el aumento y expansión de la población. Afortunadamente, en el siglo XXI existe un movimiento para proteger y extender estas zonas.

¿SABÍAS QUE...?
- Las *wilderness areas* (que deben estar en tierras propiedad del estado federal) son importantes por muchas razones. Protegen las cuencas hidrográficas, los hábitats naturales y la biodiversidad. También mejoran la calidad el aire y son una oportunidad de disfrutar de actividades al aire libre: excursiones, caza, acampada, etc.
- En la actualidad existen 43 millones de hectáreas de *wilderness areas* en EE. UU., pero los expertos creen que deberían protegerse 80 millones de hectáreas más. Lo malo es que si estas zonas no se designan rápidamente, se pueden perder para siempre, porque en cuanto se construyen carreteras o minas ya no reúnen los requisitos necesarios. Por eso, los antiecologistas están intentando manipular áreas para que dejen de ser vírgenes.
- En 2008 Ecologistas en Acción informa de que: «En España contamos con un total de mil seiscientos espacios naturales protegidos declarados al amparo de la normativa estatal o de las comunidades autónomas, lo que representa un 11,8 % de la superficie territorial. Y si incorporamos los espacios de la Red Natura 2000 de la Unión Europea en proceso de aprobación, la superficie bajo algún tipo de protección totaliza 14 millones de hectáreas, es decir, el 28 % del territorio.

- «Sin embargo, estos espacios naturales están en peligro. De las agresiones no se han librado ni parques nacionales, ni espacios de las redes autonómicas.» Por todo ello, hay que presionar en sentido contrario YA.
- La Comisión Europea aprobó formalmente en 2006 un proceso iniciado hace catorce años para la creación de la Red Natura 2000. Esta red garantiza el mantenimiento o el restablecimiento de los hábitats y la fauna y flora silvestres de interés comunitario, así como la aplicación de un sistema de vigilancia para confirmar su estado de conservación favorable. España es el país europeo que más superficie incluye en la Red Natura 2000, debido a su gran biodiversidad de hábitats y especies. Más información en: <ec.europa.eu/environment/nature> y <mma.es/portal/secciones/ biodiversidad>.

LO QUE TÚ PUEDES HACER

Tu referencia: La Wilderness Society (TWS), que lleva protegiendo los espacios naturales estadounidenses desde 1935. Son expertos en protección de la naturaleza, así que inspírate en sus campañas, que encontrarás en la página <wilderness.org>.

En España, las entidades mas activas son Ecologistas en Acción, Depana y WWF-Adena.

Tu objetivo: Preservar los espacios naturales de tu país.

EMPIEZA CON ALGO SENCILLO

- **Adopta un parque, reserva o monumento natural**. Busca un espacio natural de tu región, infórmate sobre él y dale tu apoyo. Más información en la página del Ministerio de Medio Ambiente, Medio Rural y Marino: <mma.es/portal/secciones/biodiversidad>.

Paso a paso

Paso 1. Escoge una zona que creas que debería preservarse. Haz una propuesta propia o infórmate de campañas existentes, por ejemplo en la sección de espacios naturales de Ecologistas en Acción: <ecologistasenaccion.org>.

Paso 2. Educa a la gente y consigue apoyo local. Habla con otros ciudadanos, empresas, instituciones oficiales y organizaciones ecologistas para conseguir apoyos. Preservar la naturaleza siempre depende del apoyo local.

Paso 3. No te rindas. Conseguir que se preserve un espacio natural puede llevar mucho tiempo; piensa en ello como un proyecto a largo plazo. La campaña puede durar años, pero la zona quedará protegida para siempre, gracias a tu esfuerzo.

26. POR EL DESAGÜE

Según la Agencia de Protección del Medio Ambiente estadounidense (EPA), cada año se producen hasta 75.000 escapes de aguas residuales, lo cual supone más de 4 billones de litros de residuos sin tratar: un cóctel tóxico de bacterias, virus, sustancias químicas y farmacéuticas, hormonas y antibióticos.

HISTORIA. Damos por sentado que siempre existirá uno de nuestros recursos más preciados: el agua potable. Pero, ¿qué sucede con las sustancias tóxicas que usa tu vecino para desatascar el desagüe? Y cuando tiras de la cadena, ¿adónde van esos residuos? Sabes que circulan por cañerías pero, ¿de qué están hechas? ¿Y quién se ocupa de su mantenimiento? ¿Por qué se cierran tantas playas cada año por la contaminación provocada por aguas residuales?

Desgraciadamente, en muchos sitios la respuesta a la contaminación ha sido la disolución. Sin embargo, verter residuos en agua NO LIMPIA los residuos, sino que contamina el agua. Ya es hora de que hagamos de la infraestructura de tratamiento de agua una prioridad en todo el mundo.

¿SABÍAS QUE...?

- En EE. UU., la red de alcantarillado alcanza más de un millón de kilómetros de longitud: cuatro veces más que el sistema de autopistas nacionales. Más de 16.000 depuradoras funcionan las veinticuatro horas del día, procesando cada una de ellas una media de 257 millones de litros de agua.
- Según la EPA, casi un 25 % de las cañerías de agua del país se hallan en un estado «pobre, muy pobre u obsoleto». Y esperan que la cifra aumente a un 45 % hacia 2020. Cada año se producen 3,5 millones de enfermedades causadas por nadar en aguas contaminadas por aguas residuales y medio millón por beber agua contaminada.
- La contaminación causada por aguas residuales también afecta a la fauna acuática. Los científicos especulan que aberraciones como los peces hermafroditas encontrados en el río Potomac y las ranas que no pueden reproducirse son el resultado de las sustancias de desecho que vertemos en el agua.
- Treinta y cinco años después de la Ley de Aguas Limpias, en EE. UU., la inversión federal en el saneamiento de aguas ha alcanzado el nivel más bajo de su historia. La EPA estima que el presupuesto dedicado a infraestructura se queda corto por una cantidad espectacular: 22.000 millones de dólares al año.

LO QUE TÚ PUEDES HACER

Tu referencia: La Food & Water Watch (FWW), organización de consumidores dedicada a garantizar agua potable y alimentos seguros para el consumo, en EE. UU. y el resto del mundo. Conócelos en: <foodandwaterwatch.org/water>.

Tu objetivo: Obtener agua limpia para beber y nadar en tu localidad. «El agua potable es uno de los avances más importantes de nuestra sociedad —afirma la directora ejecutiva de FWW, Wenonah Hauter—. Si no mejoramos el estado de nuestra infraestructura, volveremos al pasado, hace doscientos años, cuando la gente cogía disentería y cólera al beber agua.»

EMPIEZA CON ALGO SENCILLO

- **Cuida de tus cañerías.** Las lejías con compuestos clorados no son biodegradables. Usa productos alternativos hechos a base de oxígeno o peróxido de hidrógeno. En lugar de productos desatascadores que pueden dañar las cañerías, una posibilidad es añadir un vaso de bicarbonato sódico y uno de vinagre a un cazo de agua hirviendo (¡burbujeará!). Después se tira por el desagüe y la mayoría de atascos desaparecen.

PASO A PASO

Paso 1. Rompe el hábito del agua embotellada. El agua embotellada es más cara para el consumidor, cuesta más energía en producción y transporte, y puede ser menos pura que el agua del grifo. Por eso es importante apoyar la inversión en la red de suministro público de agua potable y en el alcantarillado. Si tienes un problema con el agua potable de tu localidad, es mejor que te compres un filtro. Inspírate en la campaña de la FWW, «Recuperemos el grifo» en que bares, restaurantes y otros locales estadounidenses prometen no servir agua embotellada: <takebackthetap.org>.

Si consumes o vendes agua embotellada, mejor que sea de producción local, con envase de vidrio retornable para reducir el impacto ecológico.

Paso 2. Controla el agua que bebes. Échale un vistazo al informe de calidad del agua de tu pueblo o ciudad. Tu empresa suministradora de agua debería proporcionar esta información. Llámalos o busca en su página web.

Paso 3. Movilízate. Únete a organizaciones o partidos ecologistas en sus campañas para mejorar la calidad del agua del grifo y de las zonas de baño como ríos y embalses. Inspírate en: <50simplethings.com/water>.

En España la Fundación Nueva Cultura del Agua (<unizar.es/fnca>) sensibiliza a las administraciones públicas sobre el uso eficiente y racional del agua en la industria, la agricultura y el sector residencial.

27. PARA LAS AVES

Las poblaciones de algunas aves se han reducido drásticamente durante los últimos cuarenta años: algunas más de un 80 %.

HISTORIA. A muchos de nosotros nos parece normal oír a los pájaros por la mañana... Sin embargo, las organizaciones de protección de animales nos advierten que una gran cantidad de aves comunes están amenazadas, mientras que otras menos comunes se hallan al borde de la extinción.

¿Puedes imaginar un mundo sin pájaros? Cuesta concebirlo. Sin embargo, su desaparición no es inevitable; se trata de una crisis creada por el ser humano que aún podemos remediar.

¿SABÍAS QUE...?

- Un 45 % de las especies de aves de Norteamérica están amenazas o se han reducido en número. Entre ellas se encuentran las cotovías, las buscarlas y los tordos. El motivo principal es la destrucción de sus hábitats. Los bosques, campos y humedales que estas aves necesitan para sobrevivir se están perdiendo por culpa del desarrollo agrícola y urbanístico, por lo que algunos pájaros simplemente no tienen sitio para vivir y reproducirse.
- Esto no sólo ocurre en EE. UU. Muchos pájaros son migratorios y pasan el invierno en selvas tropicales que están siendo taladas para convertirse en zonas de pasto para ganadería o campos de cultivo de soja o maíz.
- Los pájaros son bonitos, pero perderlos no es sólo una cuestión de estética. Las aves protegen nuestra cadena de alimentación al comerse millones de insectos que estropean nuestras cosechas. Y son unos jardineros naturales muy importantes. Mira a tu alrededor: la mayoría de árboles y arbustos autóctonos han sido «plantados» por pájaros que dejaron caer allí las semillas.
- Las aves también están consideradas «indicadores medioambientales», ya que son sensibles a problemas del ecosistema. Los expertos dicen que cuando las condiciones de la Tierra sean demasiado frágiles para albergar pájaros, todos los seres vivos (incluidos los humanos) estaremos en peligro. Por ello, cuando ayudamos a las aves, nos estamos ayudando a nosotros mismos.

LO QUE TÚ PUEDES HACER

Tu referencia: La National Audubon Society. Llevan más de un siglo participando en todas las grandes campañas para proteger a las aves en EE. UU. Búscalos en: <audubon.org>.

Otro ejemplo es SEO/BirdLife, una federación que agrupa las asociaciones dedicadas a la conservación de las aves de todo el mundo y que tiene representación en más de cien países: <seo.org>.

Tu objetivo: Salvar y crear hábitats para los pájaros. «Empieza por algo pequeño y ve aumentando el alcance tanto como quieras —sugiere el científico de Audubon, Roger Fergus—. Primero conoce tu jardín o patio, y luego los hábitats de tu barrio o localidad. Influirás directamente en la creación de un mundo mejor para ti y para las aves.»

EMPIEZA CON ALGO SENCILLO

- **Invita a los pájaros a tu casa.** Coloca un comedero en tu balcón o jardín, no sólo para darles comida, sino para hacerlos parte de tu vida. Observar pájaros cada día se convertirá en algo que disfrutes y te preocupe, no sólo un concepto abstracto o una «cosa que salvar». Descubre cómo hacerlo en: <audubonathome.org/bird_feeding> o <seo.org/publicaciones.cfm>.

Paso a paso

Paso 1. Estudia los pájaros de tu zona. Si eres principiante, cómprate una guía o busca en internet cuáles son las aves típicas de tu región. O elige algunas especies amenazadas que quieras ayudar y participa en campañas de rescate de organizaciones ecologistas. Más información en la página de la Sociedad Española de Ornitología/Birdlife: <seo.org>.

Paso 2. Crea un buen entorno para pájaros. Millones de personas contribuyen a crear el hábitat donde viven. Tu jardín, tu terraza o incluso tu balcón son todos hábitats para los pájaros de tu zona. Más consejos en: <audubonathome.org>.

Paso 3. Extiéndelo a tu vecindario o comunidad. ¡Expande el hábitat! Recluta a vecinos interesados y desarrolla un plan para tu barrio o parque. Puedes encontrar inspiración en la Guía de organización del vecindario de la Audubon Society: <audubonathome.org/neighborhood>. O únete a un grupo local de la SEO: <seo.org/grupos_locales.cfm>.

Paso 4. Da tu apoyo a una ZEPA (Zona de Especial Protección para las Aves). Las ZEPA son catalogadas por los estados miembros de la Unión Europea como zonas naturales protegidas para la conservación de la avifauna amenazada de extinción. En España existen 562 ZEPA que suman en total unos 50 millones de hectáreas. Infórmate en: <mma.es/portal/secciones/biodiversidad/rednatura2000/rednatura_espana/zec/zec.htm>.

28. EDUCA A TUS HIJOS

Fuentes oficiales estadounidenses informan que se han detectado más residuos de pesticidas en niños de seis a once años que en cualquier otra franja de edad de la población.

HISTORIA. Un alto porcentaje de la población pasa el día dentro de escuelas de primaria y secundaria. La mayoría de las personas asume que estas escuelas son lugares seguros para sus hijos (y sus profesores), pero resulta que más de la mitad padecen graves problemas de calidad de aire. Las causas de estos problemas (pesticidas, asbesto, productos de limpieza, pintura con plomo, etc.) no sólo están afectando la salud de las personas, sino que además contaminan el planeta.

Green Flag Schools es un programa gratuito creado por el Center for Health, Environment and Justice que fue fundado por Lois Gibbs, activista famosa por limpiar el Love Canal de Nueva York en los años setenta. El programa se centra en reducir el uso de pesticidas y productos de limpieza tóxicos, mejorar la calidad del aire dentro de la escuela, y usar pintura no tóxica. Asimismo, educa a los niños a ahorrar energía y ganar dinero montando una pequeña «empresa» de reciclaje. «Hay muchos programas escolares que enseñan temas medioambientales —explica Gibbs—, pero el "Programa Bandera Verde" es el primero que también les enseña que el medio ambiente afecta a su salud.»

¿SABÍAS QUE...?

- Las Naciones Unidas consideran que la educación es la herramienta mas potente para sensibilizar a los niños sobre la importancia de cuidar el medio ambiente.
- Los niños siguen desarrollándose hasta la adolescencia; sus sistemas son mucho más vulnerables a las toxinas ambientales y menos capaces de recuperarse de los daños sufridos.
- En EE. UU. hay más de ciento veinte mil edificios escolares, muchos de ellos viejos y en pobres condiciones. Los niños, en la mitad de estas escuelas, están expuestos a sustancias contaminantes como moho, hongos, productos de limpieza y asbesto. Estas toxinas se han asociado a un aumento en los últimos veinte años de enfermedades infantiles como el asma, la leucemia y el autismo.

LO QUE TÚ PUEDES HACER

Tu referencia: El Programa Bandera Verde para el Liderazgo Medioambiental, un proyecto coordinado por el Center for Health, Environment and Justice (CHEJ). A través del Programa Bandera Verde, CHEJ extiende al ámbito escolar su larga tradición de asistencia en organización de comunidades. Conoce el CHEJ en: <chej.org>.

Tu objetivo: Crear un programa ecologista efectivo en las escuelas de tu localidad y educar a tu comunidad sobre la defensa y resolución de problemas del medio ambiente.

En Barcelona y otras ciudades de España existe el programa Agenda 21 escolar que ayuda a las escuelas municipales a implementar políticas de desarrollo sostenible en la educación y la gestión de la propia escuela (catering ecológico, huertos urbanos, etc.): <bcn.cat/agenda21/a21escolar>.

EMPIEZA CON ALGO SENCILLO

- **Completa el Cuestionario de Vuelta al Cole (Back-to-School Environmental Checklist).** Descárgatelo en <50simplethings.com/greenflag> y ponte en contacto con tu escuela más cercana para proponerles que contesten este simple cuestionario de sólo diez preguntas. Usa los resultados para decidir qué asuntos requieren una atención más inmediata.

PASO A PASO

Paso 1. Empieza ya. Cualquier escuela puede sumarse a este movimiento. En España, existen varios programas como el Programa Ecoescuelas, promovido por ADEAC-FEE, la Fundación para la Educación Ambiental (<adeac.es/ecoescuelas_origen_y_desarrollo.html>) o Escuelas Verdes promovidas por los gobiernos autonómicos, como en el País Vasco, Cataluña, etc. (Infórmate en sus departamentos de medio ambiente respectivos.)

Paso 2. Los niños tienen la palabra. Aunque los adultos también contribuyen al programa, la participación de los alumnos es fundamental. Inspírate en el sistema de la CHEJ, que se basa en agrupar a los niños en equipos para que trabajen temas distintos bajo epígrafes como «Reducir», «Reutilizar», «Reciclar», «Plan Integral de Pesticidas», «Calidad del Aire Interior» o «Productos No Tóxicos». Cada tema tiene tres niveles: Nivel 1, Evaluar la escuela; Nivel 2, Descubrir y compartir información; Nivel 3, Crear o mejorar un comportamiento. Más detalles en <greenflagschools.org/levels.htm>.

Paso 3. ¡Celebrad el éxito! Cuando la escuela haya elaborado su programa de acción y obtenido la Bandera Verde o el distintivo de Escuela Verde, merece la pena celebrarlo. Se puede realizar un acto para colocar el distintivo e invitar a los padres, prensa, otras instituciones, etc.

29. TERRENO ABONADO

Se tardan cientos de años en formar sólo 2 cm de mantillo, pero cada año perdemos 25.000 millones de toneladas de suelo en todo el mundo.

HISTORIA. ¿Puedes imaginar la piel de la fruta que has comido o la cáscara de los huevos que has cenado convertidos en tierra? O al revés: ¿puedes mirar la tierra de tus plantas e imaginar que un día fue el corazón de una manzana?

Si te parece que hay algo más que puedas hacer con las sobras de la comida aparte de tirarlas a la basura, estás en la página correcta: la página sobre compostaje. Seguramente ya sabrás que el compostaje es una forma de reciclar materia orgánica y convertirla en abono orgánico siguiendo el ciclo natural... en lugar de tirarla a un vertedero, donde resulta imposible que enriquezca el suelo.

Pero, además, el compostaje es una forma de prevenir el calentamiento global y de crear una de las materias más preciadas del planeta: el mantillo, o capa superficial del suelo, esa tierra llena de nutrientes que hace posible la vida vegetal en la Tierra.

¿SABÍAS QUE...?

- Debido a la erosión, estamos perdiendo las capas superficiales del suelo diez veces más rápido de lo que pueden reponerse. Según el geólogo David Montgomery, autor del libro *Dirt*, estamos perdiendo un 1 % al año. «Globalmente —anuncia—, nos estamos quedando sin tierra.»
- El compostaje crea abono orgánico para la tierra, pero la mayoría de nosotros no lo practicamos. La triste realidad es que materias orgánicas como productos de papel, restos de comida y desechos de jardín pueden constituir un 50 % de los residuos que acaban en vertederos.
- Cuando los residuos biodegradables, como comida o deshechos de jardín, quedan atrapados en un vertedero sin aire que circule, no se crea abono orgánico, sino que fermentan y se crea un poderoso gas de efecto invernadero llamado metano. Según el Panel Internacional de Cambio Climático, el metano «causa veinticinco veces más calentamiento global que el CO_2». Y los vertederos generan más metano que cualquier otra fuente de origen humano.
- El compostaje colectivo es una nueva forma de reciclaje que elimina el material orgánico de los vertederos públicos. Un programa piloto en San Francisco ha tenido un éxito espectacular: esperan alcanzar un 75 % de reciclado en 2010. ¡Y ya venden el compost que fabrican!

LO QUE TÚ PUEDES HACER

Tu referencia: Eco-Cycle, la mayor organización no lucrativa de reciclaje colectivo en EE. UU. Conócelos en: <ecocycle.org>.

Tu objetivo: Eliminar la materia biodegradable de los vertederos y producir abono orgánico para tu localidad.

EMPIEZA CON ALGO SENCILLO

• **¿Hacer tu propio compost?** Parece facilísimo; ¿quién no va a querer salvar la Tierra y obtener abono gratis? Pero se necesita un poco de esfuerzo. Infórmate de cómo hacerlo antes de comprometerte. Busca los enlaces en: <50simplethings.com/compost>, o consulta el Manual de compostaje de Amigos de la Tierra en: <tierra.org/spip/spip.php?rubrique56>.

• **Apúntate a un curso de compostaje doméstico.** Recibe inspiración de primera mano sobre cómo hacerlo. Infórmate en tu ayuntamiento o en internet.

PASO A PASO

Paso 1. Composta en casa. Si te lanzas, asegúrate de que cuentas con asesoramiento profesional y el equipo adecuado: compostador, biotrituradora, y lombrices (sí, lombrices). Infórmate en la red o en tiendas de jardinería, sobre todo aquéllas especializadas en jardinería ecológica.

Paso 2. Composta en el colegio. A los niños les encanta ensuciarse con tierra; déjales que la fabriquen. En EE. UU. existen muchos recursos en internet para profesores e historias felices sobre el compostaje en escuelas. Búscalas en los enlaces de: <50simplethings.com/compost>. En España, Amigos de la Tierra fomenta el compostaje en casas y escuelas. Consulta su blog: <usarynotirar.blogspot.com/2008/03/compostaje-en-los-colegios.html>.

Paso 3. Composta en tu localidad. El compostaje colectivo es la solución ideal para individuos, empresas, y escuelas. Para un proyecto así, formar alianzas es muy importante, así que empieza a hablarlo con vecinos y amigos interesados, así como organizaciones ecologistas. Inspírate en Eco-Cycle, por su experiencia en este campo, e intenta convencer a tu ayuntamiento para que se sume a la recogida selectiva de residuos orgánicos.

30. CONSIDERA LAS ALTERNATIVAS

Técnicamente existe suficiente energía eólica en EE. UU.
para abastecer las necesidades eléctricas del país por cuadriplicado.

HISTORIA. ¿Has visto alguna vez un molinillo de papel que gira con la brisa? Eso es energía alternativa. ¿Has notado el calor del sol en la cara? Eso es energía alternativa. ¿Y has contemplado una rama arrastrada por la corriente de un río? Eso también es energía alternativa.

Es curioso que la gente la llame *energía alternativa* cuando realmente es lo más básico que hay. Y es increíble que no hayamos hecho nada con ella. Después de todo, es natural, limpia, segura, accesible y casi ilimitada.

Así que llamémosla *energía limpia y renovable*. Es hora de dejar de pensar en ella como una alternativa y considerarla una necesidad.

¿SABÍAS QUE...?

- Nuestro sistema de energía actual es insostenible. El caso de EE. UU. es un ejemplo claro: más del 70 % de su electricidad proviene de combustibles de origen fósil (carbón, gas, petróleo), que son finitos y altamente contaminantes. Las centrales eléctricas de carbón, que producen un 50 % de la electricidad, son la causa principal de emisión de gases de efecto invernadero.
- El uso de energía eólica está aumentando un 25-40 % al año en todo el mundo. En la actualidad, Dinamarca obtiene del viento un 25 % de su electricidad. Y España más del 20 % de su electricidad, según datos de la Red Eléctrica de España.
- La energía geotermal usa el calor de la corteza terrestre para producir electricidad. En Islandia se usa tierra calentada por energía geotermal para cultivar PLÁTANOS.
- La energía mareomotriz es una tecnología en desarrollo que produce electricidad a partir del movimiento natural de las mareas y olas.
- La bioenergía procede de materiales derivados de fuentes biológicas, desde plantas cultivadas hasta plantas autóctonas, pasando por residuos agrícolas. El combustible obtenido puede quemarse directamente o «gasificarse» para producir electricidad.
- La energía solar (véase capítulo 3): la luz que proyecta el sol durante una hora podría satisfacer la demanda de energía de todo el mundo durante un año.

LO QUE TÚ PUEDES HACER

Tu referencia: Puedes conocer en tiempo real la generación de energía eólica: <demanda.ree.es/eolica.html>. Por otra parte, Greenpeace España ha publicado varios informes que demuestran que se puede conseguir hasta el 100 % de energías renovables para el 2050: <greenpeace.org/espana/reports/informes-renovables-100>.

Tu objetivo: Informarte sobre fuentes de energía limpia y renovable, animar a otras personas a interesarse en ellas, y trabajar en tu comunidad para apoyarlas.

EMPIEZA CON ALGO SENCILLO

- **Consume energía «verde».** Compra energía renovable a través de tu empresa de suministro de electricidad. Ponte en contacto con ella para pedirlo.

PASO A PASO

Paso 1. Infórmate mejor sobre energía renovable. Si estás leyendo este libro, es muy probable que te interesen las fuentes de energía renovables. Y quizás te sorprenda comprobar cuántos proyectos de este tipo ya se están llevando a cabo en tu zona. Infórmate en: <50simplethings.com/renewables> y el Portal de Energías Renovables del Ministerio de Ciencia e Innovación: <energiasrenovables.ciemat.es>.

Paso 2. Sé exigente. Si tus compañías de suministro no te ofrecen energía renovable, exígela e insiste. Si tu pueblo, ciudad o comunidad está considerando crear instalaciones de energía renovable, asiste a reuniones o manifestaciones y ofrece tu apoyo. Realmente cambiarás las cosas.

Paso 3. Conviértelo en ley. Pide al gobierno que desarrolle con urgencia una normativa que obligue a las compañías eléctricas a informar sobre el origen y el impacto de la electricidad que venden a través de un etiquetado eléctrico oficial. Así todos podremos ejercer con conocimiento nuestro derecho a elegir qué tipo de energía queremos consumir.

31. UN MUNDO DE PLÁSTICO

Los estadounidenses tiran a la basura 2,5 millones de botellas de plástico por hora.

HISTORIA. Echa un vistazo por tu casa e intenta contar las cosas hechas de plástico. Podrías pasarte todo el día, porque el plástico se usa en prácticamente todo lo que usamos.

El plástico es un material milagroso, pero tiene graves desventajas ecológicas: está hecho de combustibles fósiles no renovables, su fabricación produce contaminación y residuos tóxicos, y no es biodegradable. Y para colmo, casi siempre lo tiramos a la basura.

Claramente tenemos que reducir la cantidad de plástico que desechamos. Pero también debemos cambiar la forma en que se fabrica el plástico y la materia prima de la que procede. Por eso se está trabajando en el BIOPLÁSTICO, que es biodegradable, se puede convertir en compost, está hecho de materiales renovables recogidos de forma sostenible... y funciona tan bien como el plástico «normal».

¿SABÍAS QUE...?

* El *bioplástico* (plástico hecho de plantas en lugar de combustibles fósiles) no es un concepto nuevo. El primer plástico sintetizado, creado en 1845, fue un material derivado de la celulosa llamado *celuloide*. Veinte años más tarde era de uso frecuente en dentaduras postizas, peines y cepillos de dientes.
* En España, cada ciudadano consume de media al año 238 bolsas de plástico: más de 97.000 toneladas, de las que apenas se recicla el 10 %.
* En una parte del océano Pacífico, llamado informalmente el Vórtice de la Basura (Pacific Garbage Vortex), existe un «basurero» del tamaño de la península Ibérica donde hay seis veces más plásticos y desechos no biodegradables que plancton.
* ¡Atención a los consumidores! El bioplástico no es necesariamente bueno para el medio ambiente. Algunos bioplásticos se fabrican a partir de plantas genéticamente modificadas (véanse capítulo 41), algunos no son biodegradables, otros interfieren con el reciclaje y otros contienen nanopartículas artificiales tan pequeñas que pueden entrar y salir de nuestras células. Hay que investigar a fondo para apreciar las diferencias entre ellos.

LO QUE TÚ PUEDES HACER
Tu referencia: El Institute for Local Self-Reliance (ILSR) trabaja desde 1974 «para dar más poder a los ciudadanos a través de la utilización inteli-

gente de recursos locales». Actualmente, uno de sus proyectos es crear bioplásticos sostenibles. Infórmate en: <ils.org> y <sustainableplastics.org>.

Tu objetivo: Reducir el consumo de plásticos desechables y contribuir para conseguir que los bioplásticos sostenibles sean una alternativa viable.

EMPIEZA CON ALGO SENCILLO

- **«Elige la durabilidad por encima del usar y tirar** —aconseja Brenda Platt del ILSR—. ¿Puedes utilizar una taza en lugar de vasos de plástico en tu oficina, bolsas de la compra reutilizables (o las tradicionales cestas o carritos) en lugar de utilizar las de plástico o papel? Después de reducir nuestro consumo, podremos progresar y elegir mejores materiales».
- **Así que escoge unos cuantos objetos de plástico** que sueles usar y tíralos... para siempre.

Paso a paso

Paso 1. Conviértete en un experto en plásticos. Infórmate sobre los distintos tipos de polímeros en la Guía de Plásticos *(Plastic Guide)* que encontrarás en: <50simplethings/plastics>. E investiga el mundo de los bioplásticos en la página de la ILSR: <sustainableplastics.org>.

Paso 2. Corre la voz. Aceptemos que el mundo no va a dejar de utilizar plástico desechable de la noche a la mañana. Una forma de empezar el cambio es sustituir los peores plásticos derivados de combustibles fósiles por nuevos bioplásticos. Intenta que ciertos lugares que conoces cambien cubiertos y platos de plástico convencional por otros de plástico hecho a partir de fécula de patata o maíz.

Paso 3. Presiona a empresas e instituciones para que sustituyan sus utensilios de plástico por otros fabricados con fibras naturales que se puedan transformar en compost. Empieza marcándote unos objetivos relativamente fáciles: tiendas de alimentación y productos naturales, restaurantes vegetarianos, cafés, etc. Luego dirígete a escuelas, instituciones y eventos locales.

Paso 4. Empieza a compostar. No tiene ningún sentido fabricar plásticos que se puedan transformar en compost si luego éstos no se reciclan. Recuerda que si estos plásticos se tiran a un vertedero desprenderán metano, un potente gas de efecto invernadero. Para más detalles, véase capítulo 29.

Paso 5. Para los muy ambiciosos. Consigue que los plásticos más perjudiciales se prohíban en tu localidad. Oakland, San Francisco y otras veinticuatro ciudades de EE. UU. ya han prohibido las bandejas y envases de poliestireno expandido y apoyan el uso de alternativas. Presiona para que tu ayuntamiento o gobierno autonómico hagan lo mismo. Puedes obtener más información de la campaña americana en: <50simplethings.com/plastic>.

32. PROTEGE LAS RESERVAS NATURALES

Los científicos han predicho que los osos polares podrían desaparecer de Alaska en los próximos cincuenta años, lo cual convierte su hábitat protegido, el Refugio Nacional del Ártico, en un soporte crucial.

HISTORIA. No hay forma de presentar este tema de forma optimista: los animales y las plantas necesitan lugares donde vivir y la sociedad moderna está destruyendo esos lugares. El desarrollo descontrolado, la contaminación y el calentamiento global están degradando y eliminando el hábitat que los animales —desde osos pardos hasta urogallos— necesitan para sobrevivir. Y una vez desaparece el hábitat, también desaparece la fauna y la flora.

Quizás no seamos capaces de detener lo que está ocurriendo a gran escala, pero podemos poner nuestro granito de arena... y por eso los refugios o reservas naturales son tan importantes. Estos espacios protegidos legalmente y dedicados exclusivamente a preservar la naturaleza son uno de los pocos sitios en que los voluntarios pueden centrarse en mejorar —en vez de simplemente «salvar»— el hábitat de animales y plantas amenazados.

¿SABÍAS QUE...?

- Muchos estadounidenses no son conscientes de que poseen un Sistema de Refugios Naturales (Natural Wildlife Refuge System) que comprende casi 40 millones de hectáreas, lo cual lo hace más grande que su Sistema de Parques Nacionales (National Park System). Hay más de 547 refugios repartidos en todos los estados norteamericanos.
- España fue uno de los primeros países del continente europeo en declarar parques nacionales (el 22 de julio de 1918 se declara el Parque Nacional de la Montaña de Covadonga), forma de protección creada en Estados Unidos en 1878. En la actualidad, la Red de Parques Nacionales, integrada por trece áreas, representa un sistema integrado de protección y gestión de las mejores muestras del patrimonio natural español.
- Hace tiempo que los animales se enfrentan al avance del ser humano en forma de expansión urbana, vallas y muros, carreteras y presas. Con la aceleración del cambio climático a un ritmo sin precedentes, su supervivencia se torna aún más difícil. Los refugios proporcionan un lugar seguro donde se eliminan muchas amenazas y la fauna local tiene la oportunidad de adaptarse y prosperar.

LO QUE TÚ PUEDES HACER

Tu referencia: Los Defenders of Wildlife. Desde 1947 trabajan para proteger y restaurar la fauna y flora autóctonas de EE. UU., resolviendo conflictos, educando y movilizando a la población. Búscalos en: <defenders.org>.

En España Acciónatura es una de las primeras ONG españolas, sin ánimo de lucro, dedicada exclusivamente a la protección, mejora y restauración de los ecosistemas naturales: <accionatura.org>.

Tu objetivo: Proteger las reservas y parques naturales de tu país. «Si te gusta la naturaleza, te parecerá una tarea muy fácil y satisfactoria», dice el presidente de Defenders of Wildlife, Rodger Schlickeisen.

EMPIEZA CON ALGO SENCILLO

- **Visita un parque o reserva natural.** Busca tu parque o reserva más cercanos y realiza una excursión con tu familia o amigos. Encuéntralo en: <parquesnaturales.com>.

PASO A PASO

Paso 1. Hazte voluntario. Infórmate de los programas de voluntariado en tu parque más cercano. Por ejemplo, encontrarás información sobre el Programa de Voluntariado en Parques Nacionales en la página del Ministerio de Medio Ambiente: <mma.es/portal/secciones/el_ministerio/organismos/ oapn/oapn_voluntariado.htm>.

Paso 2. Movilízate. Colabora con una organización de amigos de algún parque, una plataforma de defensa o una organización ecologista para defender los parques y reservas de tu país.

33. ¡PASAJEROS AL TREN!

El Acela Express de la empresa ferroviaria Amtrak es un modelo a seguir para los estadounidenses, ya que transporta un 54 % de las diez mil personas que viajan cada día entre las ciudades de Washington, Nueva York y Boston.

HISTORIA. A pesar de que en casi todo el mundo, el ferrocarril forma una parte fundamental del transporte de pasajeros, en EE. UU. se consideraba básicamente irrelevante... hasta hace poco, cuando Amtrak empezó a batir récords de pasajeros cada año.

El reciente aumento de viajes en tren es fácil de comprender: los trenes modernos son una de las formas más efectivas, económicas y ecológicas de trasladar gran número de personas de un lugar a otro. Además, hay que añadir que, con la tecnología actual, los trenes operan de forma rápida y cómoda. Entonces, ¿por qué la red de ferrocarriles no es una prioridad en todos los países?

¿SABÍAS QUE...?

- En términos de pasajeros por kilómetro, el tren es el modo de transporte MÁS eficiente energéticamente, ya que emplea un 18 % menos de energía que el coche y el avión. Y además, los nuevos trenes de alta velocidad también recortan el tiempo que dura el viaje.
- Además, los trenes reducen la contaminación ambiental y las emisiones de gases invernadero. Por ejemplo, un tren que recorre 500 km con doscientos pasajeros emite 20 toneladas de CO_2 menos que doscientos coches, y 15 menos que dos aviones.
- La mayoría de los países industrializados disponen de vías férreas exclusivamente dedicadas a trenes de pasajeros, pero en EE. UU. las vías son propiedad de empresas de transporte de mercancía privadas. Por esa razón, aunque los trenes de pasajeros DEBERÍAN tener prioridad, a menudo no la tienen. La consecuencia inevitable: un tercio de los trenes Amtrak llegan con retraso.
- La Unión Europea apuesta por el auge del mercado del ferrocarril mediante la creación de condiciones favorables para el desarrollo de un sistema ferroviario dinámico y competitivo, orientado a satisfacer las necesidades de los clientes.
- Según el Instituto Nacional de Estadística (INE) en 2007 el número de pasajeros que utilizaron el transporte aéreo descendió un 1,96 %, hasta los 3,58 millones de usuarios. En cuanto a la vía férrea, los usuarios cre-

cieron en 51,9 millones. El número de viajeros que utilizaron el AVE subió un 15,8 % hasta 1,87 millones, frente al descenso del 2,5 % en trayectos de media distancia y la subida, en un 4,1 %, del transporte de cercanías.

LO QUE TÚ PUEDES HACER

Tu referencia: El Environmental Law and Policy Center es una organización ecologista centrada en mejorar el medio ambiente y la economía. Visita su web: <elpc.org>, y estudia su campaña a favor del ferrocarril.

En España la Coordinadora Estatal en Defensa del Ferrocarril Público es una red de plataformas ciudadanas extendidas por todo el territorio español, que promueve el transporte sostenible basado en el ferrocarril, junto con la marcha a pie y los desplazamientos en bicicleta: <plataformaferrocarril.org>.

Tu objetivo: Mejorar y apoyar la red de ferrocarriles de tu país. Fomentar un tren ecológico, frecuente y asequible que conecte las diferentes localidades entre sí.

EMPIEZA CON ALGO SENCILLO

- **Disfruta de las antiguas vías del tren.** En España existen más de 1.700 km de infraestructuras ferroviarias en desuso que han sido reconvertidas en itinerarios cicloturistas y senderistas en el marco del Programa Vías Verdes, coordinado por la Fundación de los Ferrocarriles Españoles. Más información en: <viasverdes.com/ViasVerdes>.

PASO A PASO

Paso 1. Coge el tren. Cada billete que compras es un voto a favor del ferrocarril y de un mejor sistema ferroviario. Considera viajar en tren en lugar de coger el coche o el avión en tus trayectos de trabajo o vacaciones.

Paso 2. Únete a un grupo local o regional pro ferrocarril. Infórmate de lo que se está haciendo en tu localidad para mejorar los servicios ferroviarios. Consulta las páginas de tu ayuntamiento, comunidad autónoma o del Ministerio de Fomento: <fomento.es>.

Paso 3. Pásate a la política. Movilízate para que las autoridades cambien sus prioridades e inviertan más en infraestructuras y servicios, tanto en el ámbito estatal como en el local. Existen diversas agrupaciones y partidos políticos que luchan para defender el ferrocarril como modelo de transporte sostenible.

34. SALVA LOS HUMEDALES

Los humedales sólo cubren un 4-6 % de la superficie de la Tierra y, sin embargo, el valor de sus funciones se calcula en 158 billones de euros al año.

HISTORIA. ¿Debe un humedal ser húmedo? La respuesta parece obvia, pero es una pregunta trampa porque los humedales NO tienen por qué contener agua (por ejemplo, los de las praderas americanas están secos durante medio año). Lo cierto es que la mayoría de nosotros no sabemos demasiado sobre los humedales, a pesar de su importancia para la salud de nuestro planeta. Ha llegado, pues, la hora de aprender.

¿SABÍAS QUE...?

* Los humedales suelen definirse como terrenos cuya superficie se inunda permanentemente o intermitentemente, sea a causa de lluvias, mareas o del desbordamiento de ríos y aguas subterráneas. Igualmente importante es que estas áreas deben estar húmedas el suficiente tiempo para soportar una vegetación adaptada a suelos saturados. Los humedales pueden ser lugares tan normales como una ciénaga cercana, o tan exóticos como un manglar en Florida.
* Los humedales se encuentran en todos los continentes excepto en la Antártida. Lo más probable es que haya uno en tu localidad. Tienen todo tipo de formas y tamaños: los hay pequeños como estanques y tan grandes como una provincia. Algunos son de agua dulce, mientras que otros son salados. En algunos crecen árboles y en otros, plantas y flores.
* En EE. UU., entre 1950 y 1980, se perdieron más de 200.000 ha de humedales al año. A mediados de los ochenta el país había perdido más de la mitad de sus zonas húmedas. Afortunadamente, el ritmo de pérdida de humedales se ha ralentizado en los últimos treinta años... pero se siguen perdiendo más de 32.000 ha al año; el equivalente de perder un campo de fútbol cada nueve minutos.
* ¿Y que perdemos con ello? Pues ni más ni menos que uno de los ecosistemas más productivos del mundo; hay más vida por metro cuadrado en un humedal que en cualquier otro hábitat. Todas las especies de peces de agua dulce dependen de los humedales, y un 50 % de las aves viven o se alimentan en ellos, así como un 50 % de especies amenazadas.
* Los humedales también juegan un papel vital en la mejora de la calidad del agua (filtrando sustancias como nitrógeno y fósforo), en la prevención de la erosión y en el control de inundaciones.

LO QUE TÚ PUEDES HACER

Tu referencia: Environmental Concern lleva trabajando en la conservación de humedales desde 1972. Inspírate en su trabajo a través de su página web: <wetland.org>.

Tu objetivo: Proteger, restaurar o crear humedales en tu localidad.

EMPIEZA CON ALGO SENCILLO

- **Explora.** Visita un humedal y descubre lo que hay que salvar. (Si tienes niños, ¡llévatelos!) Busca los principales humedales de España en el mapa del Instituto Geológico y Minero de España: <igme.es/internet/zonas_humedas/ramsar/home.htm>.
- **Haz la excursión más divertida.** Busca una guía didáctica o un itinerario del humedal y llévatelo contigo.

PASO A PASO

Paso 1. Elige un humedal e infórmate. Descubre las funciones y valores de un humedal cercano y la fauna y la flora que reside en él. Puedes involucrar a una escuela; quizás necesiten tu ayuda en un proyecto educativo sobre el tema. Y no olvides celebrar el Día Mundial de los Humedales, el 2 de febrero, y el Mes de los Humedales en mayo. Más información en la página de la Convención de Ramsar sobre los Humedales: <ramsar.org/indexsp.htm>.

Paso 2. Únete a grupo de voluntarios para preservar y restaurar un humedal. Mójate: hazte voluntario en uno de los humedales, plantando o limpiando. Para más información acude a tu ayuntamiento o consejería de Medio Ambiente. También puedes consultar la web del Ministerio de Medio Ambiente: <mma.es/portal/secciones/biodiversidad/conservacion_humedas>.

35. TENEMOS QUÍMICA

En un estudio de 2005 se realizaron análisis de sangre a bebés en busca de 413 compuestos químicos de tipo industrial y se halló una media de 200 en cada uno.

HISTORIA. Es indudable que la química moderna nos ha hecho la vida más fácil. Nos ha permitido cultivar más por hectárea, combatir incendios... o hacer una tortilla sin que se enganche. En los últimos sesenta años, hemos visto más innovaciones químicas que en cualquier otra época de la historia. Desde 1945, se han creado y utilizado más de veinte mil nuevos compuestos químicos.

No obstante, muchas de las ochenta mil sustancias químicas que se encuentran actualmente en el mercado se introdujeron tan rápidamente en productos que no hubo tiempo de examinar adecuadamente su impacto sobre las personas o sobre el planeta. «Al usar todas estas sustancias antes de saber si son seguras —afirma Bill Walker, del Environmental Working Group (ENG)— estamos llevando a cabo un enorme experimento sobre nosotros mismos y nuestro planeta.» Ya no podemos retirar las sustancias químicas que hemos desechado en nuestro entorno, pero podemos dejar de producir las más perjudiciales, garantizar un empleo seguro para otras y reducir nuestra exposición a las sustancias químicas dañinas que se encuentran en productos de uso diario.

¿SABÍAS QUE...?

- Se puede tardar décadas en ver el impacto real de un compuesto químico. El freón se introdujo en 1928 como el «compuesto milagroso» que haría posible la existencia de los frigoríficos. Tardamos más de cuarenta años en darnos cuenta de que estaba poniendo en peligro toda la vida del planeta por su impacto destructivo en la capa de ozono.
- Una vez los compuestos químicos entran en el medio ambiente, es imposible controlarlos. Los fluorocarbonos (PFC) usados en los revestimientos de teflón, han aparecido en santuarios de aves en el Ártico y el sur del Pacífico. Se han detectado en 76 de las 98 especies analizadas en 14 países.
- Los compuestos químicos son muy resistentes. El insecticida Mirex, tóxico para organismos acuáticos y seres humanos, se prohibió después de dieciséis años de uso en el sureste de EE. UU. Tres décadas más tarde, sigue encontrándose en el medio ambiente.
- Es posible cambiar las cosas. Cuando la Agencia de Protección del Medio Ambiente estadounidense prohibió el plomo en la gasolina, las estadísti-

cas de plomo en la sangre bajaron drásticamente. Legislación como la Ley de Protección Infantil contra Sustancias Químicas Peligrosas conseguiría resultados parecidos al reducir drásticamente la exposición a sustancias químicas.

LO QUE TÚ PUEDES HACER

Tu referencia: El Environmental Working Group (EWG). Fundado en 1993, la misión de este grupo de trabajo es «usar el poder de la información pública para proteger la salud de la población y el medio ambiente».

Tu objetivo: Descubrir a cuántas sustancias químicas está expuesta tu familia y dar los pasos necesarios para evitarlas. Trabajar para obtener una mejor normativa de compuestos químicos.

EMPIEZA CON ALGO SENCILLO

- **Consejos prácticos.** Cuatro sugerencias del EWG: 1) usar sartenes de hierro en lugar de antiadherentes; 2) nunca poner plástico en el microondas; 3) comprar productos biológicos o bajos en pesticidas, y 4) filtrar el agua del grifo para beber y cocinar. Más detalles y consejos en: <ewg.org/solutions>.

PASO A PASO

Paso 1. Sustancias ocultas. El EWG sugiere que escojas un tipo de productos que uses diariamente, como por ejemplo los cosméticos o los productos de cuidado personal. Cada día, como media, los hombres se exponen a 85 compuestos químicos y las mujeres a más de 150. Búscalos en la base de datos del EWG (<cosmeticsdatabase.com>) para comprobar su nivel de peligrosidad.

Paso 2. Sigue buscando. Examina otros productos que usa tu familia, como artículos de limpieza, insecticidas y herbicidas (puedes encontrar información sobre productos españoles en: <greenpeace.org/espana/news/la-casa-qu-mica>). Sustituye los peores productos por alternativas naturales u otros menos tóxicos. Y sobre todo no tires los descartados o caducados por el desagüe; llama a tu ayuntamiento para averiguar dónde deshacerte de estos residuos de manera segura.

Paso 3. Alza la voz. Si dejas de usar un producto debido a los compuestos químicos que contiene, házselo saber al fabricante. Ponte en contacto con su servicio de atención al cliente y envía cartas, correos electrónicos y/o llama por teléfono.

Paso 4. Encuentra las toxinas ocultas. Investiga los productos que se usan en escuelas locales, guarderías y otros centros públicos (véase capítulo 28). Haz circular una petición dirigida a la consejería de Educación o a otras instituciones relevantes para que se pasen a productos más seguros.

Paso 5. Persigue a los legisladores. Intenta que las autoridades adopten nuevas normativas en cuanto a etiquetado y uso de compuestos químicos tóxicos. Infórmate sobre la legislación en España en el Instituto Nacional del Consumo: <consumo-inc.es>.

36. ¿QUÉ BICHO TE HA PICADO?

Más de quinientos insectos y doscientas setenta especies de malas hierbas han desarrollado resistencia a uno o más pesticidas.

HISTORIA. Cuando se difundió el uso del DDT en los años treinta se consideró un milagro de la química moderna. Después de miles de años, la humanidad finalmente había conseguido una «bala de plata», es decir, una forma eficaz y segura de controlar a los insectos. Sin embargo, el DDT resultó ser tóxico para los insectos y para otros animales, incluidos los seres humanos (impregnando nuestros tejidos adiposos). Veinte años más tarde, su uso frecuente había empujado a las águilas y otras aves depredadoras al límite de la extinción. En los años setenta se prohibió, excepto como instrumento de control temporal de la malaria.

La historia del DDT es un ejemplo clásico de los problemas creados por los efectos secundarios desconocidos de muchos plaguicidas sintéticos. Se han convertido en una catástrofe ecológica y sanitaria, y como se ha abusado de ellos, las malas hierbas, insectos y bacterias han desarrollado inmunidad hacia ellos. Afortunadamente, existen alternativas muy eficaces. Como consumidores, debemos pedir a los agricultores que las usen y aprender a emplearlas en nuestras propias casas.

¿SABÍAS QUE...?
* El Control Integrado de Pesticidas (Integrated Pest Management, IPM) es la mejor forma de prevenir problemas de plagas y evitar la fumigación rutinaria con herbicidas, insecticidas, rodenticidas o fungicidas. Este sistema cuenta con un largo historial de éxitos.
* En 1986, por ejemplo, un insecto llamado el saltahojas del arroz estaba destruyendo las cosechas de arroz de Indonesia. ¿Por qué? Pues porque el saltahojas se había vuelto inmune a los pesticidas químicos introducidos por la «revolución verde»... mientras sus depredadores naturales (libélulas y arañas) morían bajo su efecto. El presidente Suharto dio prioridad nacional al control integrado de pesticidas; desde entonces los agricultores indonesios han aplicado este control no sólo para salvar el arroz, sino también otros cultivos... y este sistema se ha extendido al resto del mundo desarrollado.
* En 2005 San Francisco combatió con éxito el Virus del Nilo occidental con un control integrado de pesticidas. En lugar de realizar fumigaciones aéreas con plaguicidas tóxicos, se entrenó a mensajeros en bicicleta a ti-

rar paquetes que contenían insecticida biológico (que actuaban como control de natalidad) en los veinte mil sumideros de agua de la ciudad.

LO QUE TÚ PUEDES HACER

Tu referencia: La Pesticide Action Network North America (PAN) combina campañas científicas y de participación ciudadana para forzar la retirada de pesticidas altamente perjudiciales a nivel mundial. La PAN relaciona los pesticidas con temas más importantes, como la salud del medio ambiente. Consulta su página web: <panna.org>.

Tu objetivo: Informar de los problemas que acarrean los pesticidas y de la solución que supone un control integrado. Modifica tu propio uso de estos productos y cambia actitudes en tu comunidad.

EMPIEZA CON ALGO SENCILLO

• **Apoya las alternativas.** Compra productos biológicos siempre que puedas; no sólo comida, sino también flores, ropa de cama, semillas y plantas. Es más sano para las personas, la fauna y el futuro mismo de la agricultura.

Paso a paso

Paso 1. Infórmate sobre pesticidas y control integrado. En <panna.org> encontrarás una enorme base de datos sobre pesticidas, una sección de consejos titulada «Nonpesticide Advisor», una revista y la posibilidad de recibir noticias por correo electrónico. Hallarás otros enlaces interesantes en: <50simplethings.com/ipm>.

Paso 2. Aplica el control integrado a tu propia casa. Fuera o dentro de casa, un programa doméstico puede ser muy eficaz, ya que los jardines y céspedes suelen ser una de las fuentes más importantes de residuos tóxicos. Puedes ponerte en contacto con tu empresa suministradora de agua para ver si pueden ayudarte. (En EE. UU., por ejemplo, suelen tener muy buena información: manuales o incluso asesoría telefónica sobre pesticidas, ya que éste es un problema muy grave para ellos.)

Paso 3. Introduce el control integrado en tu comunidad. Sugiere que el sistema de control integrado de pesticidas se use en los parques y escuelas de tu localidad (véase capítulo 28). Si vives en una urbanización o edificio con jardín comunitario, habla con la comunidad de propietarios para usarlo en el césped (puedes consultar la página: <panna.org/resources/lawns>). O incluye el control integrado de pesticidas en el programa de contratación verde de tu ayuntamiento o gobierno autonómico (véase capítulo 38).

Paso 4. ¡Lucha contra la propagación de los pesticidas! ¿Permite tu país la fumigación con pesticidas para controlar insectos que afectan a los campos? Primero, asegúrate de que se informa debidamente a la población sobre ello y segundo, intenta que cambien sus métodos a un control integrado de pesticidas.

Paso 5. Trabaja para conseguir que se aprueben leyes que protejan a las personas y al medio ambiente de los efectos perjudiciales de los pesticidas químicos. Únete al PAN u otras organizaciones con el objetivo de presionar a tu gobierno para que evalúe los riesgos de todos los plaguicidas y considere alternativas.

Para más recursos: <50simplethings.com/ipm>.

37. SALVEMOS LOS RÍOS

El río Grande, con sus 3.084 km de longitud, es el quinto río más largo de EE. UU. Sin embargo, se ha explotado tanto que en algunos tramos su cauce está completamente seco.

HISTORIA. Los ríos de hoy en día se parecen poco a los que conocieron nuestros antepasados. En los últimos ciento cincuenta años se han obstruido sus cauces con presas y canales de cemento; se ha drenado y modificado su curso para que la gente pudiera construir en sus riberas; y se han destruido los humedales y la fauna que vivía en ellos.

Kilómetros de vías de agua que existían hace cien años ahora son sólo cuencas vacías.... y el cauce de los ríos que aún existen va disminuyendo. Los estamos explotando demasiado y simplemente no aguantan. Puede parecer una locura, pero hemos llegado al punto en que debemos preguntarnos si nuestros ríos sobrevivirán a las exigencias de nuestras ciudades, industrias y agricultura. Y si la respuesta es no, ¿qué pensamos hacer al respecto?

¿SABÍAS QUE...?

- Según la prestigiosa revista *Science,* con el cambio climático, la nieve del oeste de EE. UU. disminuye y hace que un gran número de ríos se seque durante el verano. De hecho, el río Colorado casi nunca llega al mar. «Al depender de su agua los estados de Colorado, Utah, Arizona, Nevada, y sobre todo California —explica un informe—, el río básicamente se queda seco antes de llegar al golfo de California. Esta demanda excesiva de agua está destruyendo el ecosistema del río, incluidos sus peces.»
- En el este de EE. UU., duras sequías —empeoradas por el calentamiento global— amenazan a los ríos. Según el Centro Nacional de Datos Climáticos, un 43 % del territorio estadounidense se halla en un estado de «sequía moderada a grave». En el sureste existe una «megasequía» y los estados se pelean por el agua.
- En España las sequías también son un problema grave. Aunque, según la WWF, «el problema real no es la sequía, sino la creciente escasez de agua que sufrimos de forma estructural [...]. Nos hemos acostumbrado a consumir más agua de la que tenemos, sobreexplotando los acuíferos, humedales, ríos y embalses». Y con el cambio climático, la situación se agrava aún más.

LO QUE TÚ PUEDES HACER

Tu referencia: WildEarth Guardians protege y restaura la fauna, la flora y los ríos del oeste de EE. UU.

EMPIEZA CON ALGO SENCILLO

· **Haz un uso responsable del agua.** A menudo, los ríos son la principal fuente del agua que consumimos. Malgastar agua es malgastar nuestros ríos. Consulta el capítulo 23.

Paso a paso

Paso 1. Únete a un grupo de amigos de un río. Si vives cerca de un río, hay muchas posibilidades de que haya un grupo local que lo apoye. Búscalo y ayúdalos.

Paso 2. Defiende políticas pro ríos. Según la WWF, al menos una tercera parte de nuestros ríos, arroyos y ramblas está muy degradada, tanto en su estructura como en la calidad de las aguas, lo que propicia que el 54 % de los peces continentales y el 29 % de las aves ribereñas se encuentren amenazados. Sin embargo, a pesar de las amenazas que se ciernen sobre los ríos, tan sólo el 2 % de los espacios ribereños están protegidos.

Consulta enlaces de interés para tener información sobre la actuación en la conservación y preservación de ríos en España. Por ejemplo, se puede visitar la Estrategia Nacional de Restauración de Ríos realizada por el Ministerio de Medio Ambiente (<mma.es/portal/secciones/acm/aguas_continent_zonas _asoc/dominio_hidraulico/conserv_restaur/index.htm>).

En el siguiente enlace se incluyen, por parte de WWF, algunos consejos de actuación en un contexto más local y algunos proyectos interesantes: <wwf.es/que_hacemos/agua_y_agricultura/nuestras_soluciones/restauracion_de_rios/index.cfm>.

38. COMPRAS VERDES

«Aunque estés en contra de la importancia del cambio climático, ¿por qué demonios estarías en contra de ahorrar dinero?», Leo Scott, director general de la cadena estadounidense de supermercados Wal-Mart.

HISTORIA. ¿No sería fantástico que los organismos públicos y las grandes empresas tuvieran en cuenta el medio ambiente cuando tomaran decisiones relacionadas con el gasto de nuestros impuestos o sus beneficios?

Estas instituciones realizan las mayores compras de productos y servicios en cualquier país, así que si insistieran en comprar productos ecológicos el resto de empresas tendrían un incentivo para fabricarlos. Y una vez estuvieran en producción, los productos aparecerían en las tiendas a buen precio, transformando la economía. Todo el mundo ganaría con ello.

Pues bien, este proceso ha empezado a producirse. En inglés se llama *Environmentally Preferable Purchasing* (EPP, compras ecológicas preferibles) o *Green Purchasing* (compras verdes) y en algunos países ya empieza a ser obligatorio en ciertos organismos públicos y privados. Hay motivos para sentirse optimistas, pero todavía es un sistema incipiente.

¿SABÍAS QUE...?

- Los organismos públicos estadounidenses gastan enormes sumas de dinero en productos y servicios, desde material de oficina a electricidad. En 2002, las agencias federales (excluyendo al ejército) se gastaron 350.000 millones de dólares y las entidades estatales y locales se gastaron más de 400.000 millones. Y las casi cuatro mil universidades estadounidenses efectuaron 250.000 millones en compras.
- El EPP funciona. En 1993, el presidente Bill Clinton firmó el primer decreto que imponía criterios medioambientales en las compras de las agencias federales: papel reciclado, ordenadores e iluminación eficientes, etc. Su norma para el papel fue que contuviera un 30% de fibra reciclada; poco después, el papel reciclado al 30% se comercializó en todo el país.
- A pesar de que los programas federales de EPP se frenaron durante la presidencia de George W. Bush, los estados y municipios estadounidenses han seguido adelante. En los últimos tres años, por ejemplo, el condado de King (que incluye la ciudad de Seattle, Washington) se gastó casi 55 millones de dólares en compras verdes, lo cual supuso un ahorro de

1,5 millones en productos convencionales. Como dice Ron Sims, funcionario del condado: «Simplemente es buena gestión».

- El sector privado también comienza a subirse al carro de las compras verdes. No es ninguna sorpresa que los helados Ben & Jerry's usen cartulina libre de cloro en sus envases, pero es que McDonald's también ha reducido drásticamente su envasado y ahora gasta más de 350 millones de dólares en papel reciclado. Tanto Toyota como Anheuser-Busch también cuentan con programas de compras ecológicas.

- Las administraciones públicas de la Unión Europea en su conjunto gastan aproximadamente 1,5 billones de euros cada año en productos, servicios y obras, lo que supone alrededor del 16 % del producto interior bruto total de la Unión Europea. La Comisión Europea propone que en 2010 alrededor del 50 % de las licitaciones públicas incorporen criterios de sostenibilidad. (Más información: <ec.europa.eu/environment/gpp/index_ en.htm>.)

- En España existen organizaciones como Nexos o Ideas que se dedican a asesorar a las administraciones públicas y las empresas para que incorporen en sus políticas de compras criterios de sostenibilidad.

LO QUE TÚ PUEDES HACER

Tu referencia: El Center for a New American Dream's Responsible Purchasing Network (RPN). Búscalos en: <responsiblepurchasing.org>.

Tu objetivo: Promover la adopción generalizada de productos ecológicos en organismos públicos y privados. Inspírate en los programas de promoción del RPN.

EMPIEZA CON ALGO SENCILLO

- **Una minicompra verde.** El RPN recomienda «seis cosas sencillas que puede comprar tu oficina»: 1) papel 100 % reutilizado, reciclado y libre de cloro; 2) bombillas de bajo consumo (al menos unas cuantas para empezar, especialmente en lugares donde resulte más difícil cambiarlas porque las de bajo consumo duran mucho más); 3) toallas y servilletas de papel reciclado para el baño y la cocina; 4) productos de limpieza no tóxicos; 5) ordenadores y material electrónico de bajo consumo, y 6) un filtro para el grifo para reemplazar el agua embotellada y los dispensadores de agua fría. Para más consejos consulta <50simplethings.com/EPP> o la sección «Oficina verde» de Greenpeace <greenpeace.org/espana/campaigns/consumo/oficina-verde>.

PASO A PASO

Paso 1. Haz un pequeño inventario de los productos y servicios usados donde trabajas. Ofrece tu análisis a la persona encargada de las compras, así como información de productos ecológicos alternativos.

Paso 2. Exige compras verdes a tu ciudad. Pide a tu ayuntamiento que integre criterios ambientales en la compra de bienes y servicios. Puedes pedir asesoramiento a organizaciones como Greenpeace España y/o llevar material del RPN para demostrarles sus ventajas.

Paso 3. ¡Y no olvides tu universidad! En EE. UU. las universidades suelen tener estupendos programas de compras ecológicas. Asegúrate de que tu universidad más cercana también se compromete con la protección del medio ambiente.

39. MONTAÑAS POR LOS AIRES

En los Apalaches, la práctica de ciertas empresas mineras de dinamitar las cimas de las montañas para extraer carbón ha causado la grave contaminación de 2.000 km de ríos y el enterramiento de otros 1.000 km bajo los escombros.

HISTORIA. ¿Qué valor tiene ver media hora más de televisión cada noche? ¿Cuesta lo suficiente como para sacrificar una montaña?

Ahora mismo, empresas mineras están volando las cimas de los Apalaches para extraer carbón... para alimentar las centrales eléctricas... para suministrar la electricidad que necesitan televisores, electrodomésticos y lámparas de EE. UU.

Parece increíble, pero es algo que ocurre desde los años ochenta. Las compañías carboneras estadounidenses tienen vía libre para convertir uno de los ecosistemas más bellos y diversos de la Tierra en «paisajes lunares biológicamente estériles». Incluso se han modificado partes de la Ley de Agua Limpia a fin de facilitar la decapitación de las montañas. Lo único que puede frenar a estas empresas es la opinión pública.

¿SABÍAS QUE...?

* Esta técnica es exactamente lo que parece: las cumbres de las montañas se demuelen con explosivos a fin de extraer el carbón. Montañas enteras son arrasadas y los escombros generados por las explosiones caen sobre los valles, enterrando cursos de agua que son cruciales para las supervivencia de la fauna local y el suministro de agua potable de las poblaciones cercanas. Si se sigue al mismo ritmo, para 2012 se prevé que más de 500.000 ha de montañas y bosques habrán sido destruidos.
* La eliminación de cimas pone en peligro mucho más que el medio ambiente, ya que también amenaza a las poblaciones locales. Los escombros contaminan las aguas y los vecinos de la zona han sufrido repetidas inundaciones. En 2005, un niño de tres años, Jeremy Davidson, murió aplastado en su cama por una roca de media tonelada que saltó por los aires en una operación de dinamitado en el estado de Virginia.
* En 2000 en Kentucky, una operación de extracción de una enorme masa de carbón líquido fracasó y 1.158 l de residuos tóxicos de carbón inundaron los ríos y arroyos. El escape acabó con toda la vida acuática en 120 km a la redonda y contaminó seriamente la tierra y el agua potable de 27.000 personas.

LO QUE TÚ PUEDES HACER

Tu referencia: La Ohio Valley Environmental Coalition (OVEC). Desde 1987 se ha «dedicado a proteger y preservar el patrimonio natural de Ohio» y ahora lucha por erradicar la minería de remoción de cimas de montañas.

Tu objetivo: Ayudar a eliminar esta práctica y/o a reducir nuestra dependencia del carbón, una fuente de energía no renovable que además contribuye al cambio climático.

EMPIEZA CON ALGO SENCILLO

- **Busca tu conexión.** «La gente no se siente conectada con lo que está pasando aquí porque les queda lejos —se lamenta Vivian Stockman de OVEC—. Pero lo cierto es que cualquier persona que obtenga su electricidad de una central térmica de carbón tiene una conexión con esto.» Puedes dar tu apoyo en la sección «Spread the Word» de <ilovemountains.org> o ver un documental sobre el problema. Más información en: <ohvec.org/links/ mountaintop_removal/documentaries.html>.

PASO A PASO

Paso 1. Haz correr la voz. La mayoría de las personas no entiende el efecto destructivo del carbón: en EE. UU. es la primera fuente de emisión de gas invernadero y en España el primer responsable de cambio climático por energía producida. Según datos de Greenpeace, las veintidós centrales térmicas de carbón de España proporcionan un 23% de la electricidad generada y un 64% de las emisiones de CO_2 del sector. En 2008 esta organización publicó el informe «El carbón en España, un futuro negro» sobre el que hallarás un resumen en: <greenpeace.org/espana/news/un-informe-de-greenpeace-demue-3>. También encontrarás información sobre el carbón en la web estadounidense: <energyjustice.net>.

Paso 2. Movilízate. Infórmate sobre las campañas ecologistas contra el uso de carbón en tu zona y apóyalas. Averigua la postura de tu ayuntamiento, gobierno autonómico o estatal y defiende una política de inversión en energías renovables.

40. MAR ADENTRO

Las Naciones Unidas estiman que existen unos 18.000 objetos de plástico por km²
en los océanos de la Tierra. Las bolsas de plástico que flotan en nuestros mares matan
a un millón de aves marinas y cien mil mamíferos marinos al año.

HISTORIA. La mayoría de las causas de contaminación marina son complejas: mareas negras, sobrepesca, aguas residuales. Todas ellas son fuentes de contaminación persistentes que deben ser eliminadas como los residuos químicos tóxicos que producen ciertas fábricas.

Pero hay una amenaza gravísima para nuestros océanos que suena tan normal que cuesta tomarla en serio: la basura. Sí, todas las bolsas, las botellas, los juguetes de playa, los envoltorios y las colillas olvidadas en la arena, o arrojados al mar, o simplemente tirados al suelo y llevados por el agua de lluvia hasta llegar a un desagüe que desemboca en el mar. ¿Y entre todos ellos, cuáles son los peores residuos? Sin duda, las bolsas de plástico. Según Greenpeace, los estadounidenses desechan 100.000 millones de bolsas de plástico al año, de las cuales sólo reciclan el 2 %. El resto acaba en vertederos o en el océano. Al final, la solución no es nada compleja: si usamos menos bolsas, habrá menos en nuestros mares.

¿SABÍAS QUE...?

- Aunque los océanos cubren un 70 % de la superficie del planeta, un 80 % de su contaminación (incluida la basura) tiene su origen en tierra firme.
- El Pacific Garbage Vortex, cerca de Hawai, es un vértice hecho de 100 millones de toneladas de desechos (de los cuales el 90 % son plásticos) que vienen de países como Japón, Taiwán y la costa noroeste de EE. UU. y han sido empujados hasta allí por vientos y corrientes. Se trata de un caldo de plástico, porquería y animales marinos muertos que gira y va creciendo (¡y ahora tiene el tamaño de Estados Unidos!).
- Y pese a que en el océano las bolsas de plástico tardan más de mil años en degradarse completamente, el sol, el viento y el agua las rompen en mil trocitos que luego los seres marinos confunden con plancton, una de sus principales fuentes de alimento. Ahora mismo, en esa zona hay unos seis kilos de plástico por cada kilo de plancton.
- Para empeorar las cosas, ciertas sustancias contaminantes se adhieren a los trocitos minúsculos de plástico y los hacen tóxicos. Estas toxinas acaban en los peces, los cuales acaban en nuestros platos... y finalmente en nuestros cuerpos.

Desde WWF se promueve un consumo responsable de las especies marinas para una buena
preservación de los ecosistemas de mares y océanos: <wwf.es/que_hacemos/mares_y_costas>

LO QUE TÚ PUEDES HACER

Tu referencia: Greenpeace, una organización ecologista que usa la acción directa no violenta y la presión mediática para proteger el planeta desde 1971. Su trabajo ha servido para prohibir incineraciones en el mar, vertidos el océano y pruebas nucleares.

Tu objetivo: Reducir la cantidad de contaminación que ensucia nuestros mares, envenena la fauna marina y estropea nuestras playas.

EMPIEZA CON ALGO SENCILLO

• **«No, gracias. No necesito una bolsa».** Un pequeño desafío: intenta pasar al menos una semana sin acumular más bolsas de plástico. Piensa que si cada consumidor se llevase sólo una bolsa menos al mes, se eliminarían millones de bolsas de plástico.

PASO A PASO

Paso 1. Vete a la playa. Participa en campañas de recogida de basura en playas u organiza una en tu localidad. Inspírate en el Día Internacional de la Limpieza de Costas, el mayor esfuerzo mundial realizado en un solo día para mejorar la salud de los mares. Más de seis millones de voluntarios en EE. UU. han recogido unos 45 millones de kilos de basura marina a lo largo de 270.000 km de costa. Infórmate en: <oceanconservancy.org/icc>.

Paso 2. Mantenla limpia. Ayuda a mantener limpias las playas de tu zona (o donde veranees) uniéndote a asociaciones o grupos de protección del medio ambiente. Infórmate de qué zonas necesitan más atención y haz campaña para que se produzcan mejoras. Puedes encontrar las playas y los puntos negros del litoral español en el informe de Ecologistas en Acción, «Banderas Negras 2008»: <ecologistasenaccion.org/spip.php?article11886>.

Paso 3. Deshazte de las bolsas de plástico. Colabora con los comercios de tu localidad. Informa a tu supermercado local de tu preocupación y aporta datos para convencerlos. Participa en los días sin bolsas de plástico organizados por Greenpeace dentro de su campaña «Desembólsate del plástico».

Paso 4. Haz campaña contra las bolsas. Trabaja para que se prohíban las bolsas de plástico en ámbitos municipales, autonómicos o estatales. San Francisco lo ha hecho y otras ciudades lo están considerando. Un impuesto en Irlanda ha reducido su consumo en un 90 %. Asesórate en: <greenpeace.org/oceanthreats> y <50simplethings/ocean>.

Paso 5. Colabora con Greenpeace en la defensa de su mayor prioridad: las Áreas Marinas Protegidas, es decir, zonas del mar donde todas las actividades destructivas están prohibidas. Visita: <greenpeace.org/reserve>.

41. ¡ESTÁ VIVO!

Algunas plantas genéticamente modificadas producen tantos insecticidas propios que la Agencia de Protección del Medio Ambiente (EPA) estadounidense las ha clasificado como pesticidas.

HISTORIA. Todo el mundo sabe que Frankenstein es un monstruo, aunque muchos quizás lo conozcan por películas recientes y no por la historia original. La novela escrita por Mary Shelley en 1816 es bastante diferente; se trata de una advertencia de lo que puede pasar cuando jugamos con aspectos de la ciencia que no comprendemos o controlamos. El desastre.

Eso es lo que mucha gente piensa sobre los cultivos transgénicos. Al manipular los elementos básicos de la vida, los científicos han creado seres vivos que nunca podrán desarrollarse de forma natural. El material genético de las plantas cultivadas se modifica con genes de bacterias, virus, plantas, animales... y hasta de seres humanos. Estas «creaciones» se liberan en el medio ambiente sin apenas previsión, provocando riesgos desconocidos. Afortunadamente dicha técnica sólo se ha aplicado a gran escala con cuatro cultivos: el maíz, el algodón, la soja y la colza, por lo que todavía no es demasiado tarde para actuar.

España ha sido el país pionero en la siembra de variedades transgénicas en la Unión Europea, incorporando a la lista nacional de variedades vegetales dos variedades de maíz insecticida Bt en 1998, cinco variedades en 2003 y otras siete en 2004. En la pagina web de Ecologistas en Acción se puede obtener más información del estado actual de los transgénicos en España: <ecologistasenaccion.org/article.php3?id_article=1659>.

¿SABÍAS QUE...?

- Lo más probable es que ya hayas comido alimentos transgénicos. Un 70 % de alimentos procesados en los supermercados contienen organismos genéticamente modificados (OGM).
- Mientras Europa, Japón y otros países exigen etiquetas que identifiquen los alimentos transgénicos, esto no existe en EE. UU. ¿Por qué? Pues porque su gobierno se ha negado a exigirlo.
- Los OGM significan más pesticidas en nuestros alimentos y en el medio ambiente. Los cultivos genéticamente modificados pueden polinizarse con malas hierbas y crear «superhierbas» que requieren más pesticidas porque son más difíciles de eliminar.

- Las empresas que han creado muchos de los transgénicos que existen en el mercado no destacan por su amor a la seguridad, ya que también produjeron el DDT, los policlorobifenilos (PCB) y el agente naranja (todos ellos conocidos por sus inesperados y perjudiciales efectos secundarios).
- Según muchos expertos, el problema más grave que plantean los cultivos transgénicos es el efecto contaminante que tienen sobre los cultivos orgánicos y no transgénicos.

LO QUE TÚ PUEDES HACER

Tu referencia: La True Food Network es una red de voluntarios del Center for Food Safety (CFS) que ofrece información y consejo para combatir los alimentos transgénicos.

Tu objetivo: Evitar alimentos transgénicos en tu propia vida y unirte a otras personas en la lucha por proteger tu localidad de la contaminación genética. Hay que solicitar al gobierno más control e información sobre estos productos.

EMPIEZA CON ALGO SENCILLO

- **Aprende.** Si eres como la mayoría de las personas, no sabrás mucho sobre alimentos transgénicos. Con la ayuda de Greenpeace podrás saber qué son y dónde están. Puedes obtener su Guía roja y verde de alimentos transgénicos en su web: <greenpeace.org/raw/content/espana/reports/gu-a-roja-y-verde.pdf>.

PASO A PASO

Paso 1. Vota con el carrito de la compra. Afortunadamente, evitar muchos alimentos transgénicos es sencillo. La mayoría de alimentos enteros (frutas y verduras, judías, arroz, trigo y otros granos) no son transgénicos. Y ningún producto ecológico es transgénico. Por otro lado, la mayoría de los alimentos no ecológicos y envasados en los supermercados pueden contener OGM. Para más información consulta la Pocket Shopper's Guide to Avoiding GE Foods (Guía de Bolsillo para evitar alimentos transgénicos) en: <truefoodnow.org/shoppersguide>.

Paso 2. Haz correr la voz. A veces los mayores éxitos vienen de acciones sencillas que involucran a la gente en un nivel personal. Habla con amigos, familia y compañeros de trabajo sobre por qué los transgénicos son un tema importante y pásales información para que ellos también hagan correr la voz.

Paso 3. Presiona a los supermercados y fabricantes. Gracias a la presión ciudadana, supermercados estadounidenses como Whole Foods y Trader Joe's han retirado productos con OGM de sus marcas blancas. Para inspirarte, descárgate el Supermarket Activist Kit (Manual del activista en el supermercado) en: <truefoodnow.org/supermarkets> o participa en la campaña por internet de Greenpeace dirigida a los fabricantes: <ciberactuacongreenpeace.es>.

Paso 4. Alimentación y política. Es importante que aquellos que tienen el poder de legislar sobre este tema conozcan la opinión pública. Expresa tu opinión escribiendo cartas directamente a la UE, tu gobierno o partido político.

42. POR LA BOCA MUERE EL PEZ

En los últimos cincuenta años, un 90 % de la población de peces depredadores como el atún, el pez aguja, el bacalao, el fletán o la platija ha desaparecido.

HISTORIA. Intenta imaginar un océano sin peces. Es imposible, ¿verdad? Pues a eso estamos abocados. En los últimos cincuenta años, un tercio de los peces que pescamos para alimentarnos ha desaparecido. Piensa en ello un momento.

¿Quién es el principal culpable? Nuestros métodos de pesca. Hemos pescado demasiado, sin dar tiempo a que los peces se reproduzcan. El océano es un sistema natural que puede regenerarse... si lo dejamos. Pero eso significa un gran cambio en nuestra forma de pescar.

¿SABÍAS QUE...?

- Cientos de especies de peces están en peligro de extinción. Uno de los motivos es la contaminación y otro, el cambio climático, que ha provocado que el agua esté demasiado caliente para los animales y las plantas que les sirven de alimento. Aunque la razón principal es nuestra forma insostenible de capturarlos.

- La peor técnica es la llamada *pesca de arrastre de fondo*, en la que los barcos arrastran por el fondo del mar una red que puede ser ancha como un campo de fútbol y tan larga como para contener un Boeing 747. Esta red arranca todo lo que encuentra a su paso, arrasando toda la vegetación y atrapando todo tipo de animales marinos.

- Otro arte de pesca, el enmalle, consiste en redes de finos filamentos que crean unas paredes invisibles. Usadas en conjunto a lo largo de una cuerda a veces alcanzan hasta 8 km de longitud. Miles de peces nadan hacia la red y se enredan al intentar atravesarla... junto con tortugas y otros mamíferos marinos.

- Efectivamente, una de las peores consecuencias es el enorme volumen de captura occidental, es decir, peces y otras criaturas marinas (como tortugas, delfines, caballitos de mar) que quedan atrapados y mueren innecesariamente.

- Una supuesta solución es la piscicultura o acuicultura. Los cultivos en estanques de especies, como la tilapia o el pez gato, que se alimentan de plantas, pueden ser sostenibles. Sin embargo, no ocurre lo mismo con peces carnívoros que se crían en el mar en enormes jaulas de red. Uno de los peores ejemplos es la salmonicultura, que contamina el fondo marino con grandes cantidades de restos de pescado, emplea antibióticos en grandes cantidades y contribuye a la sobrepesca. Para alimentar al salmón se usan toneladas de «forraje de pescado»: unos 4 kg de pescado salvaje por cada kilo de salmón producido.

- Si no empezamos a cambiar algunos de estos métodos, a dejar de subvencionar las flotas pesqueras, a aprobar mejores leyes y a obligar al cumplimiento de las existentes, nos enfrentamos a un triste futuro: sin peces... ni vida marina en general.

LO QUE TÚ PUEDES HACER

Tu referencia: Oceana es el mayor grupo ecologista del mundo especializado en la defensa de los océanos. Es una organización internacional con ramas en Europa, América del Norte y América del Sur. Conócelos en: <oceana.org> y haz clic para obtener su versión en español.

Tu objetivo: Promover una pesca sostenible. «Sabemos cómo hacerlo —afirma un experto—. Simplemente nos falta la voluntad de llevarlo a cabo. Eso es lo que tenemos que conseguir.»

EMPIEZA CON ALGO SENCILLO

- **Cocina bien.** Consigue un libro ecológico de recetas de pescado, como *One Fish, Two Fish, Crawfish, Bluefish* o *The Sea Lover's Almanac*. También encontrarás recetas sostenibles en: <50simplethings.com/overfishing>.

PASO A PASO

Paso 1. Averigua qué pescado comer. Busca la Lista roja de Greenpeace en: <greenpeace.es/index.html> y encontrarás una serie de especies amenazadas y razones para evitar su compra. O consigue una guía de bolsillo de Oceana y el Blue Ocean Institute; la Seafood Pocket Guide te informa de qué especies están sobreexplotadas, cuáles no, y cuáles contienen altos niveles de mercurio. La puedes encontrar en: <oceana.org/seafoodguide>.

Paso 2. Únete al movimiento de comida sostenible. Presiona para que las tiendas y los supermercados informen de la procedencia y sostenibilidad del pescado y marisco que venden. Pregúntalo también cuando salgas a comer o cenar en restaurantes. Y si trabajas en hostelería o restauración cambia las actitudes en las cocinas. Inspírate en una iniciativa estadounidense de colaboración de cocineros: <chefcollaborative.org>.

Paso 3. Lucha por una mejor política pesquera. La flota pesquera mundial recibe anualmente más de 15.000 millones de euros en subsidios gubernamentales, lo cual les permite pescar más lejos y a mayor profundidad.

Ayuda a Oceana a detener la pesca destructiva convirtiéndote en un activista por internet en: <community.oceana.org>. Instiga a legisladores y pesquerías para que reduzcan los subsidios y se dé prioridad a otros problemas de los mares.

Desde la WWF mediante la Guía de consumo rsponsable de pescado, se promueve el hacer un consumo responsable de les especies marinas, para una buena preservación de los ecosistemas existentes en los mares y océanos peninsulares: <wwf.es/que_hacemos/mares_y_costas/nuestrs_soluciones/pesca_sostenible/consumo_responsable/guia_de_consumo_responsable_de_pescado>.

43. AL BORDE DE LA EXTINCIÓN

Para que te hagas una idea: cada día entre una y cien especies se extinguen en el mundo. Cada día.

HISTORIA. La extinción ya no es un concepto abstracto y amenazador; es una realidad cotidiana. De hecho, los científicos afirman que ahora mismo estamos sufriendo la mayor crisis de extinción de especies en la historia de la Tierra. Y la causa somos nosotros, los seres humanos.

Apoyar leyes como la Ley de Especies en Peligro de Extinción (véase capítulo 8) es una manera importante de proteger especies al borde de la extinción. Pero también hay otra: salir a salvarlas. Sí, eso es. TÚ puedes buscar especies de animales o plantas amenazadas en tu zona, arremangarte y ayudarlas a sobrevivir.

¿SABÍAS QUE...?

- El estudio más prestigioso sobre especies en peligro de extinción, el realizado por la Unión Internacional para la Conservación de la Naturaleza (UICN), evaluó más de cuarenta mil especies. Increíblemente, descubrieron que hoy en día un 39 % están «en peligro de extinción».
- Esta cifra incluye un tercio de los anfibios, una cuarta parte de las coníferas, una octava parte de nuestras aves y una cuarta parte de todos los mamíferos, incluidas especies tan conocidas como el oso polar y el hipopótamo.
- Cada extinción pone en peligro a una red de seres vivos. Un estudio de la Universidad de Arizona afirma que «con la extinción de cada ave, mamífero o planta no sólo desaparece una especie, sino que se permite la desaparición de (muchas) especies dependientes».
- La *reintroducción* es una de las estrategias más exitosas para salvar especies en peligro. Las plantas o animales se crían en cautividad y luego se reintroducen en zonas donde han desaparecido. Este sistema puede llevar años, pero a menudo funciona. Eso es lo que salvó al águila americana.
- Un ejemplo: en Massachusetts, una especie autóctona de tortuga (*Pseudemys rubriventris bangsi*) estaba en peligro, ya que sus crías estaban siendo eliminadas por depredadores. Expertos gubernamentales diseñaron un programa para capturarlas y criarlas en cautividad. Llevaron las tortuguitas a las escuelas, los niños las criaron y luego las devolvieron a sus estanques. La iniciativa tuvo un éxito enorme.

121

Si quieres ver un mapa de especies en peligro salvadas en EE. UU., dirigete a: <esasuccess.org>

- Otra técnica muy útil es simplemente observar. En Arizona, los nidos de águilas americanas están siendo observados por personas que acampan allí durante el invierno, se aseguran de que nadie las molesta y avisan a un biólogo si una cría se cae del nido para poder devolverla a su lugar.

LO QUE TÚ PUEDES HACER

Tu referencia: El Center for Biological Diversity, uno de los mayores defensores de las especies amenazadas de América del Norte. Más información en: <biologicaldiversity.org>.

Tu objetivo: Encontrar una especie amenazada en tu territorio y averiguar cómo protegerla.

EMPIEZA CON ALGO SENCILLO

- **Actúa por internet.** Súmate a alguna de las *ciberacciones* de WWF España, por ejemplo, y ayuda a las especies autóctonas en peligro a golpe de ratón: <wwf.es/colabora/participa/dejate_oir>.

PASO A PASO

Paso 1. Aprende más sobre especies en peligro. La extinción no es algo que ocurra «allá, lejos», sino que está sucediendo en TU localidad. Busca qué animales están amenazados donde vives a través del Catálogo Nacional de Especies Amenazadas o de la Consejería de Medio Ambiente de tu comunidad. Con un poco de investigación puedes averiguar por qué están en peligro y quién está intentando protegerlas.

Paso 2. Hazte voluntario en una campaña de conservación. Únete a grupos de conservación de tu localidad. Te divertirás realizando actividades al aire libre y estarás ayudando a las especies que lo necesitan. Infórmate de los programas de voluntariado de organizaciones ecologistas como por ejemplo WWF España: <wwf.es/colabora/participa>.

Paso 3. Implícate en un programa de reintroducción. Estos programas sólo son efectivos si son coordinados por una combinación de grupos expertos: servicios de protección de fauna y flora, parques o espacios naturales, y zoológicos o universidades. Una vez se diseña el programa, una especie puede tardar décadas en volver completamente a su entorno, pero el esfuerzo valdrá la pena. Una importante especie en peligro en España es el lince ibérico. Infórmate de los esfuerzos que se están realizando en el sitio de WWF España: <wwf.es/que_hacemos/especies/nuestras_soluciones/acciones_sobre_el_terreno/proyecto_lince_iberico>.

Para más recursos consulta: <50simplethings.com/extinction>.

44. UNA NUEVA AMENAZA PARA LA SELVA

La deforestación causa más emisiones de gases invernadero que todos los coches, camiones, aviones, trenes y barcos de la Tierra.

HISTORIA. ¿Has oído hablar de los biocombustibles? Son una gran idea: se trata de sustitutos de la gasolina hechos con plantas. Como a muchas otras personas, tal vez te parezca que es una gran noticia el hecho de que las grandes empresas finalmente empiecen a producir un combustible alternativo.

Pero en este caso no lo es. Resulta que las grandes empresas agrícolas tienen tantas ganas de «salvar la Tierra» mediante el biocombustible que están talando selvas (que absorben CO_2) para sembrar los cultivos que se necesitan para elaborarlo. El resultado: no sólo estamos perdiendo árboles de crucial importancia, sino que al talarlos estamos produciendo MÁS gases invernadero que los que ahorramos al emplear biocombustibles. Es como un chiste malo, sólo que la cosa va en serio.

Necesitamos seguir experimentando con biocombustibles para encontrar una forma de hacerlos seguros para el medio ambiente. Sin embargo, todavía es más urgente que expulsemos a las empresas agrícolas de nuestros bosques y selvas ahora mismo.

¿SABÍAS QUE...?

- Entre los cultivos para biocombustible que están teniendo un impacto en las selvas tropicales se encuentra la palma de aceite, el maíz, la caña de azúcar y la soja.
- Cada tonelada de aceite de palma producido resulta en 33 toneladas de emisiones de dióxido de carbono: unas diez más por tonelada que el petróleo. Y lo que es peor, los productores están extendiéndose por las selvas de Indonesia, Malasia y Papúa Nueva Guinea a un ritmo de un millón de hectáreas al año. Desde que las grandes empresas agrícolas empezaron a usar el aceite de palma para elaborar biocombustible, las plantaciones de palma de aceite se han convertido en la principal causa de deforestación en Indonesia.
- El etanol hecho de maíz se vende como un combustible «verde». Sin embargo, una encuesta reciente determinó que «entre dieciocho tecnologías, los biocombustibles producidos a partir de cultivos de alimentos como el

maíz son los que tienen la menor posibilidad de reducir las emisiones de carbono durante los próximos veinticinco años». Y el maíz necesario para fabricar el suficiente etanol para llenar el depósito de un todoterreno (unos 95 l) podría alimentar a una persona durante un año.

- ¿Por qué hacerlo entonces? Por los beneficios. Archer Daniels Midland (ADM) hizo campaña ante el gobierno estadounidense durante treinta años para promocionar el uso de etanol en la gasolina, lo cual resultó en 2.000 millones de dólares en subsidios... la mayor parte de los cuales han ido directamente a ADM.
- Mientras los agricultores estadounidenses se pasan al maíz para aprovechar la demanda de etanol, están abandonando la soja, lo cual está causando escasez y precios más altos. El resultado es que la agroindustria estadounidense ha pasado a talar selvas en otros países para sembrar campos de soja.

LO QUE TÚ PUEDES HACER

Tu referencia: El Rainforest Action Network (RAN) es «uno de los agitadores ecologistas más astutos del sector» según el *Wall Street Journal*. Llevan luchando para salvar las selvas y bosques del planeta desde 1985. Conócelos en: <ran.org>.

Tu objetivo: Ayuda a hacer correr la voz sobre la destrucción de selvas y bosques por parte de la agroindustria estadounidense y presiona para detenerla.

EMPIEZA CON ALGO SENCILLO

- **Invierte en la selva.** Haz una donación al programa de RAN «Protect-anacre» («Protege un acre»), que da pequeñas ayudas económicas a aquellos grupos locales que quieren proteger sus árboles: <ran.org/paa>.

PASO A PASO

Paso 1. Conoce los hechos. Contacta con RAN para recibir folletos, ejemplos, el vídeo de la campaña y otros materiales. Apúntate a su lista de correo y recibirás información actualizada de las últimas campañas y acciones. Consigue todo lo que necesitas en la sección de recursos («Resources») de: <ran.org/rainforestag>.

Paso 2. Organiza una fiesta en tu casa. Invita a tus amigos, vecinos y familia. Muéstrales el vídeo de la campaña, habla sobre el tema y pide a la gente que se comprometa con la selva de alguna manera, como por ejemplo escribir una carta al director de las principales empresas agrícolas u organizar otra fiesta.

Paso 3. Actúa. La deforestación está relacionada con los productos que consumes. Infórmate de cómo cambiar esto personalmente y cómo hacer cambiar ante el gobierno y las administraciones en la página de Greenpeace: <greenpeace.org/espana/bosques/que-puedes-hacer-t>.

En ceroCO$_2$ tú puedes ayudar a evitar la deforestación de la selva invirtiendo en diversos proyectos que luchan por la preservación de ésta: <ceroco2.org>.

Para más recursos consulta: <50simplethings.com/rainforest>.

45. ¡ACCIÓN(ES)!

En 2006, como consecuencia de una resolución de unos accionistas iniciada por una compañía de inversiones socialmente responsable, la empresa ExxonMobil fue finalmente obligada a admitir que el consumo de combustibles fósiles está calentando el planeta.

HISTORIA. Quizás te preguntes qué tienen que ver los accionistas con salvar la Tierra. Pues que los mayores contaminantes del planeta son las grandes empresas y a quienes escuchan más son a sus accionistas.

Aquí viene lo interesante: todo el mundo puede ser accionista... incluso tú.

¿SABÍAS QUE...?

- Los accionistas son los verdaderos propietarios de cualquier sociedad anónima. Legalmente lo único que se necesita para ser considerado accionista es poseer una acción.
- No hay límite para lo que puede hacer un accionista. Por eso, en 1973, un grupo de inversores religiosos reunieron dinero y formaron el Interfaith Center for Corporate Responsibility (ICCR). Fueron el primer grupo de accionistas en influir con éxito sobre decisiones empresariales relacionadas con asuntos sociales.
- El éxito del ICCR inspiró a los ecologistas. Después de la marea negra causada por el petrolero Exxon Valdez en 1989, se formó la primera alianza entre inversores y ecologistas: la Coalition for Environmentally Responsible Economies (CERES, Coalición para una Economía Responsable con el Medio Ambiente). Actualmente, la lucha por el medio ambiente es una de las áreas principales de activismo entre los accionistas.
- Los accionistas usan los estatutos de la sociedad a su favor. Por ejemplo, pueden llegar a resoluciones que exijan informes o cambios de política que entonces son votados por *todos* los accionistas. También pueden hablar durante la sesión de ruegos y preguntas en la asamblea anual de accionistas... y a veces las empresas los escuchan. Por ejemplo, Michael Passoff de la organización As You Sow habló en una junta anual de accionistas de Starbuck's sobre el uso de leche procedente de vacas criadas con hormonas de crecimiento bovino. El resultado: Starbuck's investigó las alternativas... y finalmente se pasó a leche libre de hormonas.
- En España varias ONG organizan campañas muy mediáticas de activismo accionarial. Estas entidades compran acciones o consiguen delegación de votos para estar presentes en las asambleas generales de grandes

corporaciones. Por ejemplo, Setem lidera la campaña BBVA sin armas e Intermon Oxfam defiende los derechos de los indígenas frente a Repsol.

LO QUE TÚ PUEDES HACER

Tu referencia: As You Sow es una organización estadounidense fundada en 1992 para asegurarse de que las grandes empresas y otras instituciones actúan por «los mejores intereses del medio ambiente y la humanidad a largo plazo». Conócelos en: <asyousow.org>.

Tu objetivo: Tener un impacto en la política medioambiental de las grandes empresas. «El reto es alinear tus inversiones con tus principios», afirma Michael Passoff.

EMPIEZA CON ALGO SENCILLO

• **Haz un seguimiento de tu dinero.** ¿Tienes dinero en acciones? Averigua cómo tu dinero afecta al medio ambiente. Busca en Google el nombre de la empresa en la que has invertido junto con un tema ecológico que te preocupe. (Si no tienes acciones, busca tu banco... al fin y al cabo, allí es donde está tu dinero.) Mira lo que sale y no te sorprendas si son buenas y malas noticias; no hay empresas perfectas.

PASO A PASO

Paso 1. Aprende lo básico. Familiarízate con conceptos como voto por poderes, diálogo, acuerdos o resoluciones de accionistas y desinversión. ¿Cómo? Puedes encontrar dos manuales excelentes para principiantes (en inglés) en: <50simplethings.com/invest>.

Paso 2. ¡Compren, compren! Tienes que poseer como mínimo una acción para participar en las asambleas anuales, pero más para proponer una resolución. Escoge una empresa e invierte en ella. O únete a una red de accionistas. En EE. UU., los ecologistas aprovechan el sistema de voto por poderes. Más información sobre este sistema en: <asyousow.org>.

Paso 3. Ponte en contacto. Cuando te hayas informado, es el momento de hacerte oír. Escribir o llamar para discutir tus preocupaciones es la primera parte de lo que los profesionales denominan «dialogar» con una empresa. La mayoría de ellas tienen alguna persona de contacto con los inversores. Como propietario, tienes derecho a ponerte en contacto con tu compañía. Aprende a «dialogar» en: <asyousow.org>.

Paso 4. Preséntate. ¿Te atreves? Ve a una asamblea general de accionistas. Observa, comenta o solicita reuniones cara a cara con representantes de la compañía. Más detalles en: <asyousow.org>.

46. BIENVENIDOS A LA CIUDAD SOLAR

En 2001, San Francisco votó a favor de pasarse a la energía solar en sus edificios municipales. Poco después, el Ayuntamiento instaló un enorme sistema solar en el Centro de Convenciones de Moscone y desde entonces ha dotado de equipamientos solares a escuelas, bibliotecas e incluso depuradoras de agua.

HISTORIA. ¿Quieres asegurarte de que tus impuestos municipales se gastan responsablemente? ¿Quieres aire limpio, empleos locales y facturas de electricidad más bajas? Ésta es una manera de hacerlo: consigue que tu municipio se pase a la energía solar. ¡Pon paneles solares en el ayuntamiento!

No te preocupes; no es tan difícil como parece. Y económicamente es una buena idea; se amortizará en diez o veinte años y a partir de ese momento generará beneficios. ¡Qué forma tan fantástica de invertir en la industria de energía solar y en garantizar a nuestros hijos un futuro de energía limpia!

¿SABÍAS QUE...?
- Cada año, en EE. UU., los gobiernos municipales y estatales se gastan aproximadamente 12.000 millones de dólares en energía. (En los condados es la segunda partida de gastos después de los sueldos.) Un 70 % de esa energía viene de combustibles fósiles, por lo que un sistema de energía solar municipal es ideal para AHORRAR dinero y SALVAR el medio ambiente.
- Esto le daría a la industria solar algo que realmente necesita: grandes pedidos, lo cual les permitiría reducir costes... y como consecuencia de ello, bajarían los precios. La experiencia demuestra que cada vez que se dobla la demanda de productos de energía solar los costes bajan un 20 %. La percepción de precio elevado es precisamente el principal obstáculo de la energía solar.
- Los gobiernos municipales son perfectos para realizar este esfuerzo. Son grandes consumidores de energía, tienen acceso a partidas presupuestarias y no les importan los beneficios a largo plazo. Al contrario que muchas empresas, pueden esperar diez años para amortizar su inversión porque saben que todavía estarán allí.
- El factor más importante, sin embargo, es que hacer lo correcto es (o de-

bería ser) uno de los principios fundamentales de cualquier servicio público. Las ciudades deberían liderar con su ejemplo la revolución de las energías renovables.

- La obligación de que los edificios de nueva construcción o rehabilitados incluyan sistemas de energía solar térmica fue una normativa pionera del Ayuntamiento de Barcelona. Posteriormente el Instituto para la Diversificación y Ahorro Energético (IDAE) junto con la Federación Española de Municipios y Provincias (FEMP) elaboraron un modelo de ordenanza solar para facilitar su tramitación desde los ayuntamientos. Actualmente algunos municipios ya disponen de este instrumento legal para promocionar la energía solar pero desgraciadamente un 40 % desconoce su existencia.

- En España Fundació Terra (<terra.org>) ha conseguido implementar en equipamientos municipales de Madrid y Barcelona techos fotovoltaicos financiados por pequeñas aportaciones del público.

LO QUE TÚ PUEDES HACER

Tu referencia: Vote Solar es una organización que intenta convencer a los ayuntamientos para que inviertan en energía solar con el fin de extender el uso de esta energía. Ofrecen asesoría y ayuda a cualquiera que quiera aceptar el desafío. Visítalos en: <votesolar.org>.

Tu objetivo: Convencer a los políticos de tu pueblo o ciudad para invertir en energía solar.

EMPIEZA CON ALGO SENCILLO

- **Aprende a pensar como un funcionario municipal.** ¿Cómo se siente alguien que tiene que escoger entre comprar electricidad a una compañía eléctrica y tener que encontrar financiación para invertir en un sistema de energía solar? Familiarízate con el tipo de información que necesitarías para tomar esa decisión. Infórmate sobre las opciones básicas de energía solar. ¿Qué incentivos existen en España? Inspírate en: <50simplethings. com/votesolar>.

PASO A PASO

Paso 1. Busca un aliado en el ayuntamiento. Infórmate sobre los políticos de tu ayuntamiento y encuentra a alguien que adopte este proyecto. Investiga un poco: ¿cuáles fueron sus promesas electorales? ¿Y sus intereses? Todos los políticos asumen sus cargos pensando en la reelección; este proyecto los convertirá en héroes.

Paso 2. Organiza una coalición de organizaciones para promocionar la energía solar. Empieza con grupos ecologistas, parroquias o escuelas. Necesitarás una gran cantidad de gente que te apoye cuando te reúnas con tu aliado.

Paso 3. Concierta una cita. Si crees que la persona es accesible, llámala para solicitar una reunión. Si necesitas más apoyo político, llévate a unos cuantos votantes para demostrar que la energía solar es un tema que interesa a la población. A partir de ahí es cuestión de ir siguiendo lo que pasa y mantener la presión. Inspírate en los consejos de Vote Solar.

47. ¿CUÁNTOS SOMOS?

En más de la mitad de los países en vías de desarrollo estudiados por las Naciones Unidas, la población está creciendo más rápido que el suministro de alimentos.

HISTORIA. El crecimiento de la población es un tema polémico, pero resulta imposible evitarlo cuando hablamos de salvar el planeta. Hay una conexión evidente entre el número creciente de personas en la Tierra y las dificultades que experimenta nuestro sistema de supervivencia global. Más personas significan más recursos, más contaminación y más destrucción del entorno.

Muchas personas creen que el crecimiento de la población (actualmente unos 78 millones al año) es el problema medioambiental más importante a que nos enfrentamos; según ellos, hasta que lo resolvamos nada de lo que hagamos importará.

¿SABÍAS QUE...?

- La población mundial tardó casi toda la historia de la humanidad (hasta principios del siglo xix) en alcanzar los 1.000 millones de habitantes. Entonces se disparó: en los años sesenta había 3.000 millones de personas, y en los años noventa se duplicó hasta llegar a 6.000 millones. Las Naciones Unidas predicen que llegaremos a los 9.000 millones a mediados de este siglo.
- El crecimiento rápido de la población supone una presión enorme sobre recursos básicos. Los seres humanos ya usamos la mitad del agua dulce existente, procedente de ríos, lagos y acuíferos. Se estima que en 2025 será de un 70 % y en 2050 podría alcanzar un 90 %.
- Según un estudio reciente, el crecimiento de la población YA ha desembocado en la pérdida global de una superficie de tierra cultivable equivalente a dos tercios de América del Norte.
- En zonas menos desarrolladas, donde actualmente vive un 90 % de la población, los bosques desaparecen rápidamente. Casi la mitad de la superficie forestal de nuestro planeta ha desaparecido.
- ¿Cómo estabilizamos la población mundial? La experiencia demuestra que cuando la gente tiene acceso a información y servicios de planificación familiar, la media de hijos por familia desciende. Singapur pasó de 6,4 hijos por familia en 1950 a 1,35 en 2005. Tailanda pasó de 6,4 a 1,83 en el mismo periodo. México pasó de 6,97 a 2,4.

LO QUE TÚ PUEDES HACER

Tu referencia: Population Connection cree que el bienestar de la humanidad, e incluso su supervivencia, dependen de encontrar un equilibrio entre la población y el medio ambiente. Descúbrelos en: <popconnect.org>.

Tu objetivo: Llevar la información y servicios de población a aquellos que lo necesiten. Ayudar a otros a ver la conexión entre la salud de nuestro entorno y la población mundial.

EMPIEZA CON ALGO SENCILLO

- **Ármate con datos.** Que no te intimiden; conviértete en un experto. Empieza a aprender sobre el crecimiento demográfico en: <popconnect.org>. Obtén más recursos en: <50simplethings.com/population>.

Paso a paso

Paso 1. Piensa en un contexto local. Apoya la educación sexual en las escuelas para prevenir embarazados no deseados.

Paso 2. Piensa en un contexto nacional. Defiende las políticas y los servicios de planificación familiar en España para que todas las mujeres y parejas puedan tomar sus propias decisiones reproductivas. Infórmate en la Federación de Planificación Familiar Estatal: <fpfe.org>.

Paso 3. Piensa en un contexto internacional. Los países desarrollados, como EE. UU., deberían ser líderes en proporcionar ayuda internacional para asistir a la estabilización de la población. En su lugar, George W. Bush impuso la Global Gag Rule («Regla del Silencio Global»), que impide a grupos de planificación familiar ofrecer información médica a mujeres. Infórmate sobre este tema entrando en: <popconnect.org>, y haciendo clic en «Fact Sheets». O busca información internacional en la página del Fondo de Población de Naciones Unidas (UNFPA): <unfpa.org> (haz clic para la versión española).

48. SUBE LA TEMPERATURA

*Los glaciares del Kilimanjaro, en África, se están derritiendo tan rápidamente
que la montaña ha perdido una cuarta parte de su hielo entre los años 2000 y 2006.
En los Andes, los glaciares se derriten a una velocidad diez veces mayor de lo
que lo hacían tan sólo veinte años atrás.*

HISTORIA. ¿Están nuestros políticos prestando suficiente atención al cambio climático? Desde nuestro punto de vista parece el tema medioambiental más importante de nuestros tiempos... y, sin embargo, se ven muy pocas acciones al respecto. ¿Cuánto hielo de los glaciares debe fundirse para que nuestros gobiernos empiecen a tomarlo en serio?

Tal vez ha llegado el momento de cambiar de estrategia. Tal vez ha llegado el momento de levantarnos, alzar la voz y decirles a nuestros políticos lo que realmente queremos. De inspirarnos en movimientos sociales como el que obtuvo el sufragio para las mujeres o los derechos civiles en EE. UU. y reunirnos en público para exigir el fin de las políticas destructivas que siguen emitiendo gases de efecto invernadero a nuestra atmósfera. Tal vez ha llegado la hora de convertir nuestra pasión en un movimiento real para que, a través de nuestros esfuerzos combinados, podamos crear una economía productiva a base de energías limpias. Si estás dispuesto a echarte a la calle, hay gente que te espera.

¿SABÍAS QUE...?

- El cambio climático se está convirtiendo en un tema de gran peso político. Según una encuesta del *Washington Post* en 2007, «siete de cada diez estadounidenses quieren más intervención federal sobre el calentamiento global y la mitad de los encuestados cree que el gobierno debería hacer mucho más de lo que está haciendo».
- En EE. UU., un tercio de los encuestados dijo que el cambio climático es el problema más grave al que nos enfrentamos, lo cual representa el doble que el año anterior. Otras encuestas muestran resultados similares. Casi todas revelan un aumento enorme del apoyo a más iniciativas relacionadas con el problema.
- Las manifestaciones siempre han sido una forma efectiva de galvanizar el apoyo latente. Días como el Día de la Tierra 2000, manifestaciones masivas y protestas más pequeñas han tenido un gran impacto político. Ahora los activistas contra el calentamiento global se están movilizando con eventos como el Día de la Madre 2008, coordinado por 1Sky.

LO QUE TÚ PUEDES HACER

Tu referencia: 1Sky, una campaña nacional para canalizar la energía de la población en un movimiento social que presione al gobierno estadounidense para enfrentarse al calentamiento global. Más detalles en: <1sky.org>.

Tu objetivo: Convertirte en un activista contra el cambio climático; organizar actos públicos, o participar en ellos, y ayudar a movilizar a otros para que hagan lo mismo.

EMPIEZA CON ALGO SENCILLO

• **Noche de cine.** Dos películas recomendadas sobre calentamiento global: la ganadora del Óscar *Una verdad incómoda* (2006), con Al Gore, y *Everything's cool* (2007), un «largometraje de catástrofe real» con otros expertos de prestigio. Ambas están disponibles en DVD.

PASO A PASO

Paso 1. Únete al movimiento. Apúntate a una organización ecologista española para informarte de las campañas existentes. Entidades como Ecologistas en Acción, Amigos de la Tierra, Greenpeace España o WWF/Adena tienen campañas contra el cambio climático.

Paso 2. Averigua lo que pasa donde vives. Recibe información para participar en acciones y eventos concretos. Busca material en las páginas de recursos de esas organizaciones y úsalo para concienciar a amigos, compañeros, etc.

Paso 3. Haz correr la voz. El Proyecto Cambio Climático es otra organización internacional dedicada a educar al público sobre este tema. Más de mil voluntarios han sido entrenados por Al Gore para presentar una versión de la exposición en la que está basada *Una verdad incómoda*. Puedes solicitar una exposición en España para tu universidad, empresa u organización: entra en <theclimateprojectspain.org> y rellena el formulario en «Solicita una presentación».

Paso 4. Movilízate. Trabaja para que el cambio climático sea una prioridad de políticos y legisladores en tu localidad o país. Inspírate en: <1sky.org/actnow>.

49. OBJETIVO: CERO RESIDUOS

Cada kilo de residuos que desechamos (como basura o para reciclar) equivale de media a 61 kg de residuos creados durante su extracción, fabricación y producción. Es decir, 60 kg de residuos que nunca llegamos a ver.

HISTORIA. Para algunas personas, reciclar representa tanto los puntos fuertes como los más débiles del movimiento ecologista. Por un lado es un esfuerzo colectivo de gran éxito y refleja la voluntad de la gente de cambiar sus hábitos por motivos ecológicos. Por otro lado, es algo que reemplaza los cambios reales sobre nuestra forma de enfrentarnos a la basura.

«Reciclar es importante, pero tiene lugar demasiado tarde en todo el proceso —explica Linda Christopher de la Grassroots Recycling Network—. Cuando algo se recicla, ya hemos usado agua y energía, hemos producido contaminación y deforestación. Si realmente queremos cambiar las cosas, las decisiones importantes no ocurren una vez hemos traído un producto a nuestra casa sino *antes*, en las primeras fases de producción o incluso de diseño del producto. Debemos dejar de gestionar residuos y empezar a eliminarlos de raíz.»

Esta filosofía se llama *Cero residuos* (*Zero waste*) y no significa que no se produzca ningún residuo. Simplemente es una forma de ir más allá del reciclaje y reconocer que los desechos no son inevitables y se pueden reducir si mejorarnos el diseño y el proceso de producción desde el principio.

¿SABÍAS QUE...?

- En EE. UU., a partir de 2006, casi un 70 % de la basura municipal se llevó a vertederos o se quemó en incineradoras; sólo se recicló un 30 %.
- La proporción 70/30 puede sonar bien, pero los estadounidenses producen casi 2 toneladas de basura por persona por año. Eso son más de 400 millones de toneladas de residuos, de los cuales dos tercios se tiran.
- No obstante, la basura municipal sólo supone un 20 %, como mucho, de la basura que genera cada persona. Casi un 95 % de los materiales industriales se convierten en residuos antes de que un producto sea fabricado y un 80 % de lo que producimos se tira en los seis meses posteriores a su producción.
- Cero residuos es un buen concepto para la economía. Los estudios demuestran que 10.000 toneladas de residuos sólidos pueden crear cuatro empleos relacionados con el compostaje, diez empleos de reciclaje y casi doscientos

cincuenta empleos de reutilización... pero sólo un empleo en un vertedero o una incineradora.

LO QUE TÚ PUEDES HACER

Tu referencia: The GrassRoots Recycling Network (GRRN) es una organización estadounidense que trabaja para alcanzar el objetivo de Cero residuos: <grrn.org>.

Tu objetivo: Reducir los desechos en tu propia vida y ayudar a tu localidad a avanzar hacia nuevos objetivos de reducción de residuos.

EMPIEZA CON ALGO SENCILLO

- **Edúcate.** ¿En qué medida es distinto el reciclaje de la política de Cero residuos? Descúbrelo en el siguiente vídeo de seis minutos: <ecocycle.org/zerowastevideo>.
- **Noche de cine.** Consigue el DVD de este premiado documental: *Manufactured Landscapes* (2006). Es una película fascinante que te dará una perspectiva internacional sobre los residuos que producimos.

PASO A PASO

Paso 1. ¡Reduce! Busca formas sencillas de reducir lo que desechas. Aquí tienes tres: 1. Lleva bolsas reutilizables al supermercado (consejo: ten al menos dos, para llevar siempre una en el bolso o en el coche). 2. Consume el mínimo de comida envasada. 3. Compra un filtro para el agua del grifo y una cantimplora de acero inoxidable en lugar de carísimas botellas de agua. (Véase capítulo 31). Para más consejos consulta: <50simplethings.com/zerowaste>.

Paso 2. Organiza un acto Cero residuos. Demuestra «Cero residuos en acción» organizando un acontecimiento en que no se cree (apenas) basura. Puedes conseguir información práctica para organizarlo en Eco-Cycle: <eco-cycle.org/events>.

Paso 3. Para los más ambiciosos. Haz campaña para transformar tu ciudad o pueblo en una población de cero residuos como San Francisco o Seattle. Únete a un grupo o asociación de tu localidad y pide a tu ayuntamiento que apruebe una resolución que fije como objetivo conseguir cero residuos. GRRN tiene toda la información necesaria para formarte y prepararte: <grrn.org>.

50. EMPLEO VERDE

«Queremos usar el movimiento de empleo verde para sacar a la gente de la pobreza. Los paneles solares no se instalan por arte de magia; alguien tiene que hacerlo», Majora Carter, de Sustainable South Bronx.

HISTORIA. ¿Cuál es la mejor forma de dar a las personas de todos los niveles socioeconómicos una oportunidad tangible de luchar por temas como el cambio climático?

Muy fácil: que sea su profesión. Cada día millones de personas van a trabajar. Imagina lo que pasaría si muchos de esos empleos (así como nuevos trabajos creados para aquellos que están desempleados) pertenecieran a los campos de la energía renovable, la agricultura sostenible y la construcción ecológica. Podríamos combinar dos de nuestras mayores preocupaciones: proteger el medio ambiente y ganarnos la vida. El compromiso de una persona con su trabajo sería también su compromiso con el planeta.

Ahora mismo existe una gran ocasión, no sólo de mejorar nuestra economía haciéndola más «verde», sino de hacer que aquellas personas que viven en la pobreza puedan incorporarse a una clase media revitalizada. Lo primero que debemos hacer es proporcionar la formación necesaria para convertir los empleos en industrias desfasadas del siglo xx en empleos seguros en industrias ecológicas del siglo xxi.

¿SABÍAS QUE...?

- En estos momentos ya se está desarrollando una enorme economía «verde». En EE. UU. en 2006 las energías renovables y las tecnologías de ahorro de energía generaron 8,5 millones de nuevos empleos, casi 970.000 millones de dólares en ingresos y más de 100.000 millones de dólares en beneficios para empresas privadas.
- En España en 2008 el sector de las energías renovables generó en el país 89.000 empleos directos. Además, en octubre de ese mismo año, el número de afiliados a la Seguridad Social por trabajos relacionados con la depuración de aguas residuales y reciclaje ascendía a 166.000 personas, cifra que se espera que aumente con las nuevas inversiones municipales.
- Un informe de Naciones Unidas titulado «Empleos Verdes», publicado en 2008, pronostica que millones de personas trabajarán en el campo del medio ambiente en las próximas décadas.
- Según un estudio del National Renewable Energy Lab, el mayor y principal obstáculo para una más rápida adopción de energías renovables y efi-

ciencia energética en EE. UU. es la falta de personal con la formación necesaria.
- Sin embargo, ya se han adoptado medidas para rectificar esta situación. En diciembre 2007, el presidente George W. Bush firmó la Ley de Empleo Verde para formar profesionales en trabajos relacionados con la industria ecológica. La Ley incluye una inversión de 125 millones de dólares en programas de formación dirigidos a veteranos, desempleados, jóvenes en situación de riesgo y familias en condiciones de extrema pobreza. Los programas los prepararán para instalar paneles solares y equipos de aislamiento climático.

LO QUE TÚ PUEDES HACER

Tu referencia: Green for All. Su objetivo es construir una economía verde lo suficientemente fuerte para sacar a la gente de la pobreza. Apoyan las oportunidades para todos gracias a la formación, empleo y creación de nuevas empresas en la emergente nueva economía verde.

Tu objetivo: Ayudar a crear una economía verde que ofrezca igualdad de oportunidades.

EMPIEZA CON ALGO SENCILLO

- **Noche de cine.** Consigue el DVD de *Everything's cool* (2007). Este documental sobre la lucha contra el cambio climático incluye un especial sobre la revolución del empleo verde. Más detalles en la página web de la película: <everythingscool.org/article.php?list=type&type=4>.
- **Escucha a Van Jones,** fundador de Green for All, hablar sobre *ecoigualdad*: <youtube.com/watch?v=2SmF3B3734E>.

PASO A PASO

Paso 1. Involúcrate. Éste es un movimiento incipiente así que necesitamos que todo el mundo corra la voz. Inspírate en: <greenforall.org/resources/whaticando.html> o <50simplethings.com/greencollar>. O consulta la página española Eco Empleo, que incluye una bolsa de trabajo verde: <ecoempleo.com>.

Paso 2. Apoya la creación de empleo verde. Demuestra tu apoyo a las iniciativas de creación de empleo verde y oportunidades de formación a través de cartas al director y correos electrónicos a políticos de tu país. Inspírate en la campaña estadounidense para obtener un presupuesto de 20.000 millones de dólares invertido en la iniciativa de empleo verde Clean Energy Corps (CEC).

Visita nuestra página web

50simplethings.com

No estás solo...

*Nosotros te ayudaremos
a encontrar una forma de implicarte
y ser efectivo.*

**Juntos podemos
cambiar el mundo.**